LES 5 DERNIERS DRAGONS

*

LE DIAMANT DE LUNE

LES 5 DERNIERS DRAGONS

LE DIAMANT DE LUNE

TOME 4

Danielle Dumais

ADA
JEUNESSE

Éditeur : François Doucet
Révision linguistique : Daniel Picard
Correction d'épreuves : Katherine Lacombe, Nancy Coulombe
Conception de la couverture : Tho Quan
Photo de la couverture : © Thinkstock
Mise en pages : Sébastien Michaud
ISBN papier 978-2-89667-556-2
ISBN numérique 978-2-89683-368-9
ISBN ePub 978-2-89683-369-6
Première impression : 2012
Dépôt légal : 2012
Bibliothèque et Archives nationales du Québec
Bibliothèque Nationale du Canada

Éditions AdA Inc.
1385, boul. Lionel-Boulet
Varennes, Québec, Canada, J3X 1P7
Téléphone : 450-929-0296
Télécopieur : 450-929-0220
www.ada-inc.com
info@ada-inc.com

Diffusion
Canada :   Éditions AdA Inc.
France :   D.G. Diffusion
              Z.I. des Bogues
              31750 Escalquens — France
              Téléphone : 05.61.00.09.99
Suisse :   Transat — 23.42.77.40
Belgique :   D.G. Diffusion — 05.61.00.09.99

Imprimé au Canada

SODEC

Participation de la SODEC.
Nous reconnaissons l'aide financière du gouvernement du Canada par l'entremise du Programme d'aide au
développement de l'industrie de l'édition (PADIÉ) pour nos activités d'édition.
Gouvernement du Québec — Programme de crédit d'impôt pour l'édition de livres — Gestion SODEC.

**Catalogage avant publication de Bibliothèque et Archives nationales du Québec et Bibliothèque
et Archives Canada**

Dumais, Danielle, 1952-

   Les 5 derniers dragons
   Sommaire : t. 4. Le diamant de lune.
   Pour les jeunes de 10 ans et plus.
   ISBN 978-2-89667-556-2 (v. 4)
   I. Titre. II. Titre : Cinq derniers dragons. III. Titre : Le diamant de lune.

PS8607.U441C56 2011   jC843'.6   C2011-94
PS9607.U441C56 2011

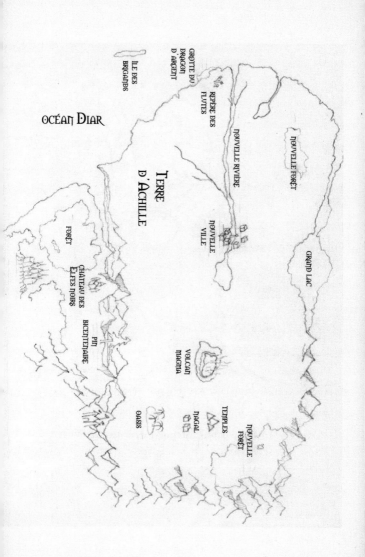

OCÉAN DIAR

ÎLE DES BRIGANDS

GROTTE DU DRAGON D'ARGENT

REPÈRE DES FLÛTES

NOUVELLE RIVIÈRE

NOUVELLE FORÊT

TERRE D'ACHILLE

NOUVELLE VILLE

GRAND LAC

FORÊT

CHÂTEAU DES ELFES NOIRS

PIN BICENTENAIRE

VOLCAN MAGMA

OASIS

TEMPLES

MAGAL

NOUVELLE FORÊT

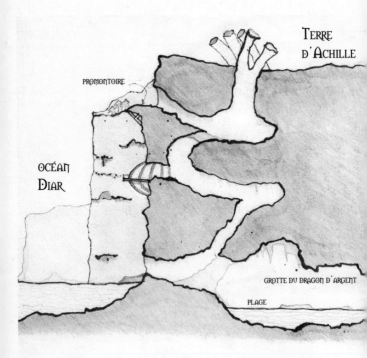

TERRE
D'ACHILLE

PROMONTOIRE

OCÉAN
DIAR

GROTTE DU DRAGON D'ARGENT

PLAGE

LE REPÈRE DU DRAGON D'ARGENT

ABSOLU
Déserté par les dévots –
aucun avatar

	SOLEIL	LUNE
vatar	Naga	Nagi
rénom de aissance des vatars	Nergal	Purnima
rêtres et édecins	Asu	Ashia

Schéma des divinités

PROLOGUE

D ans les moments sombres de la vie, les rayons chauds du soleil nous réconfortent, nous éclairent et ajoutent de la gaieté. Sans lui, nous serions dans la tristesse, la noirceur et dans un monde sans couleur.

Mais à la Terre d'Achille, la situation était différente. Le soleil, si bon ailleurs, était un dieu redoutable à cet endroit. Sa chaleur si vivifiante dans un autre lieu détruisait ici les semences et asséchait le sol. En conséquence, la terre était aride et rien ne poussait sur ce territoire. Le ciel avait beau se couvrir de cirrocumulus, de cumulonimbus ou de nimbostratus et les nuages avaient beau passer au-dessus de cette terre rougeâtre, aucune goutte d'eau ne parvenait au sol. Elle s'évaporait avant même de toucher terre. Sur cette plage interminable, il n'y avait que du sable brûlant. Le soleil, si bon ailleurs, était ici un élément destructeur. Seul un peuple sédentaire réussissait à vivre dans ces dunes aux teintes de briques chauffées au-dessus par le soleil et en dessous par le volcan Magma.

Sur cette terre maudite, des Nagaliens vivaient et adoraient cet astre diurne. Il les éloignait de tous les intrus. Ainsi, lorsque la température atteignait les 45° Celsius durant la journée à l'ombre et bien davantage au soleil, ils dormaient sans s'inquiéter. Depuis bien des années, personne ne les avait importunés. Grâce au soleil, les aliments étaient séchés et se conservaient des années. Lorsque la température s'abaissait durant la nuit, ils voyageaient pour se nourrir. Une oasis à quelques kilomètres à l'est de Magma leur fournissait eau, légumes racines et fruits en saison. Cette oasis était une bénédiction sur cette terre maudite et stérile.

Il n'en avait pas toujours été ainsi. Jadis, ce sol nourrissait de nombreux peuples. En raison de la température clémente apportée par ce volcan dont les ramifications souterraines maintenaient le sol au-dessus du point de congélation, une forêt luxuriante y poussait. De nombreuses rivières arrosaient les terres et le poisson y était abondant. Une flore et une faune exceptionnelles et diversifiées y croissaient. Mais tout bascula un certain soir. La terre si florissante s'assécha, ne laissant qu'un seul point d'eau disponible. C'est ainsi qu'une légende naquit.

On raconte qu'une malédiction règne à la Terre d'Achille depuis qu'un homme a retiré un diamant bleu enchâssé au front d'une statue représentant une grande divinité : la Déesse de la Lune. Il faisait partie d'un groupe de pilleurs, tous irrespectueux des lieux de piété. L'appât du gain était leur principale religion. Il ne parla à personne de cette possession, sûr de conserver pour lui tout seul cette volumineuse pierre bleuâtre en forme de larme aux mille facettes. L'éclat de cette pierre variait selon la croissance ou la décroissance de la lune, ce qui ne manquait pas d'intriguer le voleur. Depuis cette disparition, la terre était devenue infertile et celui qui possédait ce diamant était maudit.

En effet, lors de la première pleine lune, ce diamant bleu se mit à rougir et à siffler. Toutefois, au lieu de s'en débarrasser, le voleur se contenta de le contempler. Puis, le diamant devint si chaud que l'homme finit par l'échapper. Il était déjà trop tard. Le sort en était jeté pour ce détenteur de pierre et la mort se présenta à lui.

Cependant, la légende ne s'arrête pas là. Elle prétend que bien que les Nagaliens aient retrouvé le corps du malheureux voleur affreusement mutilé à des kilomètres du campement des pilleurs installés près du volcan Magma, ils trouvèrent le cambrioleur à moitié enfoui dans le sol, mais la pierre, elle, n'y était pas. Peut-être était-elle perdue au plus profond de ce sable fin ?

Sans cette pierre enchâssée à son front, la Déesse de Lune n'accomplissait plus l'harmonie des marées et ne jouait plus son rôle influant auprès de la pluie. Depuis ce jour maudit, sa lumière apaisante ne se répandait plus sur le territoire lors des pleines lunes. Ainsi, le puissant dieu du Soleil y régnait en roi et maître chauffant sans relâche, jour après jour, la Terre d'Achille. Sa compagne de nuit, sans son précieux diamant bleu, n'était plus qu'une ombre d'elle-même et périssait petit à petit, se recroquevillant sur elle-même. À la manière d'un embryon, elle retenait son dernier souffle.

Une prophétie annonçait qu'à la 964e pleine lune à compter de ce jour maudit, le cours des événements allait changer. Un groupe de sept individus viendrait restaurer le culte de la Lune. Encore une fois, la troupe des chevaliers du Pentacle se retrouverait au cœur d'importants bouleversements.

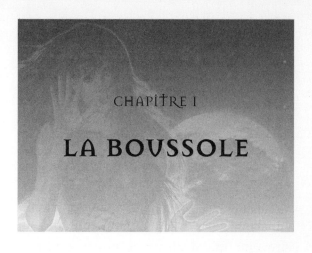

CHAPITRE I

LA BOUSSOLE

Responsable de l'itinéraire à suivre et du commandement, Arméranda, une fille habituée aux conditions montagneuses et rudes, avait suggéré de voyager le long du littoral pour conserver un indice commode et pour éviter de se perdre à l'intérieur de ce grand désert sans aucun repère. Andrick, Nina, Inféra, Picou, Waldo, Adora, ainsi qu'Horus, les dragnards et les yokeurs voyagèrent selon les consignes de la jeune cavalière et quittèrent l'embouchure du canyon.

En début de soirée, ils étaient arrivés à un endroit où de drôles de sculptures creuses en forme de flûtes courbes s'élevaient entre 3 et 10 mètres. Du haut des airs, elles n'avaient pas manqué d'intriguer les voyageurs. Puis, ils avaient atteri à cet endroit et constaté la fraîcheur de la place.

Nina, une jeune fée, avait volé entre ces structures creuses aux formes amusantes. Elle avait même mis sa tête à l'intérieur de l'une d'elles. Le vent avait fait siffler ces flûtes et une agréable musique s'en était échappée. Elle avait alors fait quelques courbettes et virevolté. Elle avait refait le même geste à une autre sculpture, située plus bas. Cette fois, les sons avaient été plus graves. Elle était allée butiner dans une autre. La mélodie lui avait chatouillé les oreilles. La flûte avait émis des sons perçants comme la stridulation de cigales à la fin de l'été. Nina avait vite retiré la tête.

— Vois-tu à quelque chose à l'intérieur? avait demandé la responsable du voyage en voyant la jeune fée d'humeur si joyeuse.

— Non, rien, avait répondu Nina, mais elles émettent de jolies musiques. C'est intrigant!

— Bon, vu l'heure, c'est ici que nous ferons notre campement, avait dit Arméranda.

Ils avaient alors déchargé leurs montures et les avaient ensuite soulagé de leur attelage. La seule à ne pas contribuer à cette tâche avait été Inféra, une dragon-fée porteuse du dragon de feu. Elle n'avait cessé de se lamenter de la température qui s'élevait à au moins 40° Celsius de plus par rapport à la veille. Arméranda avait monté une tente de toile.

— Je n'en peux plus, avait-elle chialé. Tantôt nous avons de la neige et maintenant, une chaleur accablante.

Inféra portait une tunique aux longues manches et une jupe en gros coton. Adora, une Elfe porteuse du dragon de terre, avait revêtu une robe de soie.

— Change-toi, porte des vêtements plus légers, avait suggéré Adora.

— Mais je ne veux pas porter mes robes de soie! s'était-elle exclamé. Elles sont si belles et je ne veux pas les salir.

— Puisqu'il le faut, avait dit Andrick. Elles te vont à ravir.

Elle avait rougi. Elle avait le béguin pour ce jeune magicien aux yeux bleus qui ressentait un amour partagé entre elle et Arméranda, une jeune femme dont il appréciait la débrouillardise. Inféra s'était changée dans la tente et avait enfilé une robe de soie seyante aux tons vert et ocre qui lui allait à merveille. Pour l'intimider davantage, Andrick l'avait sifflée dès sa sortie. Sous son regard, elle avait fait quelques pas maladroits. Andrick avait retenu son rire pour ne pas la troubler davantage.

À l'aise dans ses vêtements, la dragon-fée était allée aider Nina à préparer le souper et elle avait mis fin à ses jérémiades. Ç'avait été un soulagement pour les oreilles de ses compagnons.

Durant la soirée, la température s'était abaissée. L'air marin avait fait en sorte qu'ils s'étaient endormis rapidement. En défaisant ses tresses, Arméranda, une fine observatrice, avait remarqué que la nuit était particulièrement noire. Malgré un ciel étoilé, il y manquait un astre. La lune.

Au matin de la deuxième journée sur la terre d'Achille, les chevaliers du Pentacle admirèrent le panorama spectaculaire au haut de cet escarpement en prenant un thé et des tartines au fromage. Les vagues de l'océan

Diar déferlaient avec calme au pied de la falaise. Un soleil rougeâtre se levait à l'ouest sur cette immense étendue d'eau de la planète Dina qui effectuait des rotations sur elle-même d'ouest en est. Le clapotis de la mer annonçait une belle journée et la bonne humeur se voyait sur chacun des visages de la troupe.

— Wow! Quelle vue splendide! s'écria Nina en s'étirant les jambes. L'air est si frais et sent si bon, le salé marin. C'est ravigotant!

— Tu veux dire, ça pue les varechs, fit Inféra en se pinçant le nez. Je n'aime pas du tout cette odeur. D'ailleurs, je vous l'ai dit, j'ai horreur de l'eau.

— T'es comblée à souhait, ironisa Andrick en effectuant quelques redressements. Nous avons les pieds sur une plage interminable et je crois bien qu'il n'a pas plu depuis plusieurs lunes.

— Et pourtant, une bonne baignade, c'est tellement agréable avec la fraîcheur de la mer, dit Adora la porteuse du dragon vert.

Waldo et Adora ne se quittaient jamais. Ayant fini leur petit déjeuner, ils marchaient bras dessus bras dessous le long de cette côte inhospitalière sans végétation. Contrairement à la Terre des Elfes, ils ne se promenaient pas dans le magnifique jardin du château du père d'Adora. Chez elle, elle était la première à se lever dès que les premiers rayons pointaient à l'horizon. Quelques instants plus tard, Waldo et elle se retrouvaient au jardin. Lorsque la température le permettait, elle buvait à la fontaine extérieure une eau claire et fraîche à même la coupelle formée par les mains de son bien-aimé. Ce rituel du matin leur insufflait de l'énergie pour le reste de la journée. Ici, l'air sec déshydratait sa peau sensible. Ils s'arrêtèrent pour admirer l'horizon flamboyant. Elle s'étira le cou au-dessus de cet à-pic. Elle n'y voyait que des parois rocheuses et les flots frappant cet abrupt.

— Je ne vois pas le bord de l'eau, poursuivit-elle, c'est malheureux, sinon avec mon yokeur, je m'y serais posée et j'aurais fait quelques bonnes longueurs.

— Pas pour moi, continua la dragon-fée. J'ai connu assez de baignades désastreuses lors de deux bains forcés. À l'un, j'ai fait la rencontre du gros serpent appelé Séa et à l'autre, j'ai été projetée hors d'un tunnel par un jet d'eau, avant d'aboutir dans un marécage gluant sur le territoire des Elfes, beurk! J'en ai encore un malaise.

— Comme nous tous, dit Picou, le rat blanc magicien. Tu ne devrais pas en faire un drame.

Andrick inspectait la falaise. Il vit un promontoire et l'entrée d'une grotte. Un peu plus loin, quelques arbres poussaient et une végétation s'étalait sur quelques dizaines de mètres.

— C'est bizarre, j'ai l'impression que des gens vivent dans cette grotte.

Arméranda s'approcha des lieux.

— Je ne sens aucune vie.

— Peut-être se sont-ils absentés pour quelque temps! supposa Nina.

Arméranda remarqua un pieu et une corde tout en bas, comme pour attacher une embarcation. Pour ne pas prolonger leur séjour à cet endroit et éveiller la curiosité d'Andrick à connaître les habitants, elle déclara :

— Ça se peut. Mais présentement, je ne sens que des espaces vides.

Le soleil entreprenait sa lente ascension au zénith et perdait sa teinte rougeâtre. S'étant sustentés et après quelques exercices, les chevaliers du Pentacle profitèrent de l'occasion pour lever leur campement de bonne heure.

— Direction nord, dit Arméranda en regardant sa boussole.

Toute la journée, elle fixa son instrument et conserva le cap. Elle crut reconnaître les lieux, comme du déjà-vu. Elle se dit : « c'est fort possible puisqu'on suit le rivage. Il n'y a que du sable d'un côté et de l'autre, la mer. C'est curieux que la mer soit de ce côté, mais non, je dois me tromper, elle est du bon côté. » En fin de journée, la surprise fut totale lorsqu'ils aboutirent à l'endroit de départ de la veille, situé au sud, alors qu'ils se dirigeaient vers le nord.

— Mais comment est-ce possible ? se demanda à haute voix Arméranda. Nous sommes là où Dévi Wévi nous a laissés, hier, à l'embouchure du canyon.

Deux jours plus tôt, Dévi avait conduit une soucoupe volante pour déposer les trois jeunes dragnards à cet endroit. Bien que la jeune progéniture des dragnards volait avec beaucoup d'assurance et prenait beaucoup de poids, les vents étaient trop vigoureux pour les dragnardeaux. Ainsi, après que Dévi les avait déposés sur la rive nord du canyon, ce fut maintenant au tour du groupe d'affronter les forts tourbillons en traversant l'embouchure de ce fleuve sur leur monture habituelle : Arméranda sur son cheval ailé, Horus, Waldo sur un oiseau transporteur appelé un yokeur, Nina et Andrick sur des dragnards et Picou dans sa cage accrochée au harnais de Féerie.

— Ta boussole doit mal fonctionner, se choqua Andrick.

Arméranda regarda à nouveau. Elle indiquait maintenant le nord dans l'autre direction. Elle la secoua. Rien n'y fit. L'aiguille était collée et pointait dans la direction opposée de ce matin.

— Je n'y comprends rien. Maintenant, elle indique dans l'autre sens.

— Il est trop tard pour repartir, maugréa Andrick en tapant une roche au sol.

Nina prit la défense de la jeune cavalière.

— Ce n'est pas de sa faute si elle ne fonctionne pas bien. On ne devrait pas trop s'en faire. On reprendra vite le temps perdu.

Mais ces paroles firent l'effet contraire. Waldo, d'habitude si tranquille, fit remarquer en regardant durement Arméranda :

— Nous allons devoir coucher ici. Deux jours de perdus à ce que je vois.

Arméranda grogna. Il l'accusait de mal diriger le groupe. Elle monta sa tente en bougonnant.

Adora ne s'en fit pas trop. «Sans doute, la boussole avait-elle eu un problème de fonctionnement la veille, un problème momentané», pensa-t-elle. Elle demeurait confiante, tandis que son copain montrait une certaine impatience. Elle mit sa main sur son épaule et lui murmura à l'oreille :

— Qu'est-ce qui ne va pas ?

— Rien, mon amour. Elle ne m'inspire pas confiance, chuchota-t-il.

— Tu doutes de ses capacités !

— Tu as tout compris !

Le lendemain, la troisième journée de leur périple, ils repartirent et aboutirent au même endroit où se trouvaient les sculptures de pierre en forme de flûtes courbées. Le moral de la troupe monta d'un cran. Pour une fois, la boussole avait bien fonctionné. Étant donné l'heure tardive, ils ne s'aventurèrent pas plus loin et montèrent leur tente.

À la fin de la quatrième journée, toujours guidés par la boussole de la cavalière, les chevaliers du Pentacle se retrouvèrent encore une fois à leur point de départ. Le mécontentement et la frustration atteignirent un sommet.

— JE PENSE QUE TA BOUSSOLE EST DÉBOUSSOLÉE! cria Andrick, rouge de colère. TU DEVRAIS LA RANGER OU MIEUX ENCORE LA JETER AU FOND DU RAVIN!

— Je n'y comprends rien, dit Arméranda. Elle oscille. Les flux magnétiques sont en mouvement. Il ne faudrait pas céder à la panique. Il y a sûrement une explication à ce phénomène.

— C'est vrai, réfléchit tout haut Picou, il doit y avoir une explication.

— Céder à la panique. Tu rigoles, s'énerva Waldo. Nous avons perdu quatre jours. Quatre jours, tu comprends? C'EST INACCEPTABLE!

— ALORS, QU'EST-CE QUE TU SUGGÈRES? hurla à son tour Arméranda.

C'était la première fois qu'elle perdait patience. Waldo, au lieu de répondre, fit comme s'il n'avait rien entendu. Il croisa les bras, ferma les yeux et releva la tête, ce qui fit bondir la jeune cavalière. Elle se défoula en donnant de solides coups de pied dans le sable près de lui. Adora comprit sa colère. Pour la calmer, elle suggéra:

— Et si nous piquions en plein centre du territoire au lieu de suivre le littoral? dit calmement Adora.

Arméranda ne répondit pas sur le coup. Picou, Adora et Nina semblaient les seuls à lui démontrer une confiance inébranlable. Ne voulant pas les décevoir, elle se mordit la langue et parvint à maîtriser sa frustration. Elle expliqua au groupe son point de vue:

— Je sais. Je comprends votre consternation, toutefois se diriger dans ces terres inconnues, c'est de la pure folie. Je crains que nous nous perdions davantage et que nous tournions en rond.

Waldo émit un hum... Andrick la regarda de côté comme pour lui signifier de continuer sans pour autant lui donner son accord.

— Là-bas, poursuivit-elle, la température sera encore plus chaude qu'ici. Comme vous savez, l'eau potable est l'élément le plus essentiel que nous transportons. Si nous en manquons, je dis bien si nous en manquons, nous nous déshydraterons sous ce soleil de plomb en peu de temps. La seule source d'eau potable que j'ai notée jusqu'à maintenant est ici.

Personne ne contesta ce fait.

— Arméranda, au point où nous en sommes, je crois que nous n'avons plus rien à perdre puisque nous tournons en rond depuis quelques jours, énonça Nina. J'en ai marre de toujours aboutir à notre point de départ. Je ne dis pas ça pour t'insulter. Je crois que ta boussole doit être ensorcelée. Il n'y a pas d'autres explications. Un mauvais sort s'acharne. Et toi, Waldo, tu devrais t'excuser auprès d'Arméranda à moins que tu veuilles prendre le commandement.

Waldo resta de marbre. Après les supplications de sa bien-aimée et de Picou, il décroisa les bras et articula avec peine :

— Je m'excuse… pro-fon-dé-ment et… je crois… en tes capacités. Donc, je ne m'oppose pas à ce que tu poursuives le commandement.

— Excuses acceptées. Nous referons notre plein d'eau potable à cette source et nous partirons au petit matin lorsque la température est encore assez fraîche. De mon côté, je ne me fierai plus à cette boussole, dit-elle en montrant l'objet défectueux. Nous irons où nous croyons qu'il sera le mieux pour poursuivre notre route, soit en plein centre de ce désert. Ne venez pas après mes recommandations vous plaindre de la chaleur et de la soif. C'est tout ce que j'ai à dire.

Dès que le soleil se pointa à l'horizon, ils partirent dans la direction que Nina avait suggérée. Arméranda avait jeté un coup d'œil à sa boussole par pure curiosité juste avant le départ. Étrangement, elle pointait au centre du pays. Ils volaient depuis une heure lorsqu'un premier objet attira leur intérêt. À quelques centaines de mètres, se trouvait un gros objet en bois renversé sur le côté. Ils n'en crurent pas leurs yeux. Un grand vaisseau était au sol, comme échoué.

— Est-ce possible, se demanda Andrick, un bateau ?

— C'est possible, dit Arméranda. Probablement qu'un cours d'eau existait à cet endroit même. La rivière s'est asséchée et le fond rocheux s'est recouvert de sable. Ainsi, nous ne notons aucune dépression décelant la présence d'une ancienne rivière.

— Il y a donc eu de l'eau ! s'exclama Adora.

— Oui, analysa Arméranda. Le bateau est encore en bonne condition. Si l'eau revenait, il voguerait. C'est un beau bateau, un trois-mâts. Les toiles sont bien roulées et sans aucune déchirure apparente.

Ils pénétrèrent dans ce vaisseau naval couché sur le côté par une trappe située sur le pont supérieur. Ils remarquèrent que les soutes et les pièces étaient vides. Aucune réserve, aucun meuble. La jeune cavalière promena ses mains au plancher et sur les murs de la coque.

— Un peuple vit dans cette terre inhospitalière, nota Arméranda. Il faudra être prudent. Il se peut qu'il nous soit hostile.

Puis, elle ajouta :

— Ce sont eux qui se sont emparés du contenu. Il y avait un chargement de farine, d'eau, de viandes séchées et de... je crois bien, de pierres précieuses.

Elle se pencha et ramassa sur le plancher une poussière qui était une très petite pierre brillante. Elle poursuivit :

— C'était des chercheurs de diamants.

En sortant du bateau, ils notèrent que le firmament si bleu se couvrait de gros nuages noirs accompagnés d'éclairs et de tonnerre lointains. Le ciel s'assombrit et la foudre grondait de plus en plus près.

— Un orage s'en vient, s'inquiéta Nina. Ça ne sera pas beau, c'est certain !

— Tout un orage, évalua Andrick, comme ceux en été. Ça va tomber comme des clous.

Le vent se mit de la partie et une tempête de sable s'éleva. En peu de temps, un mur rougeâtre se dressa et se déplaçait vers eux à vive allure. Il les traversa. La troupe ne voyait que du sable qui pénétrait dans leur vêtement, dans la bouche, le nez, les yeux et les oreilles. Souffrant de brûlures abrasives aux yeux, la troupe réussit à trouver la trappe et à redescendre dans la cale. Les animaux, n'ayant pas la possibilité de s'abriter à l'intérieur du navire, se regroupèrent par instinct et s'accroupirent en formant un cercle. Ils tournèrent leur tête vers le centre.

Le vent secouait et faisait craquer la structure, tant les rafales étaient fortes et soutenues. Ils n'avaient jamais ressenti un tel déchaînement. À un moment donné, ils crurent que le bateau allait s'envoler. L'air s'engouffrait dans les moindres ouvertures et un sifflement lugubre et ininterrompu résonnait dans la coque vide. Fort heureusement, au bout d'une heure à craindre le pire, le calme revint. Un à un, ils sortirent de leur abri. Les derniers nuages noirs filèrent et disparurent à l'horizon. La bourrasque s'était changée en douce brise et la température s'était rafraîchie. Les magnifiques yokeurs bleus étaient couverts de sable et leur plumage avait pris une teinte de brique rouge comme le sol. Les dragnards se secouèrent à la manière de chiens au pelage mouillé, ce qui fit éternuer le groupe.

— Incroyable ! s'exclama Adora en brossant sa robe du plat de sa main. La terre est aussi aride qu'avant la tempête. Pas une seule goutte d'eau n'est tombée.

— Au moins, l'air est un peu plus respirable, dit Waldo.

Mais ce ne fut qu'un court instant ; le soleil de ses puissants rayons réchauffa le sol et le sable redevint aussi chaud qu'une heure auparavant. La chaleur sèche de l'air leur brûlait les narines. Ils mouillèrent des mouchoirs pour humecter les voies respiratoires et ils firent de même pour leurs animaux. Les dragnards souffraient plus qu'Horus et que les yokeurs en raison de leur épaisse fourrure. La langue sortie, ils respiraient avec difficulté. Ils leur donnèrent leur dernière ration d'eau. Les dragnards se désaltérèrent et burent jusqu'à la dernière goutte. S'ils ne trouvaient pas dans les trois ou quatre heures suivantes un point d'eau, l'aventure se terminerait pour tous.

Après un vol de deux heures, ils aboutirent au pied d'un volcan fumant. La température était plus élevée qu'ailleurs. Un magma bouillonnait à son sommet et quelques faibles projections éclaboussaient le sommet. Le sol était noir et des reflets insolites et bleutés attirèrent l'attention de l'elfe. Waldo fut le premier à remarquer la présence de diamants dans cette terre noire et rocailleuse.

— C'est ce que je pensais, dit Arméranda. Ils ont péri en raison de ces cailloux brillants.

LA BOUSSOLE

Mais ça n'explique pas pourquoi les terres se sont asséchées soudainement.

Les pierres étaient pour la plupart emprisonnées dans cette lave solidifiée sauf une, une grosse pierre bleue taillée en forme de larme ou de goutte d'eau, posée sur ce magma durci comme une invitation à la prendre. Il la voulait à lui tout seul. Les Elfes sont connus pour leur convoitise de l'or et des pierres précieuses. Waldo fit diversion au groupe en indiquant la quantité incroyable de ces pierres un peu plus haut près du cratère. Il suggéra :

— Ce serait une bonne idée de se faire une réserve de diamants, non pas que j'en veuille, mais bien pour payer des passages, s'il y a lieu.

La suggestion fut accueillie avec empressement. Les chevaliers du Dragon rouge devenus les chevaliers du Pentacle se souvinrent de la cupidité des Douades, des êtres exigeant une redevance pour traverser la frontière séparant la Terre des Elfes de la Terre des Cinq Peuples. Malheureusement, ils auraient à les revoir sur le chemin du retour.

Waldo fit semblant de vouloir escalader le flanc de ce volcan. Il se tint derrière eux et, dès qu'il eut la chance, il revint sur ses pas pour saisir à la dérobée l'objet de sa convoitise. Immédiatement, il le cacha dans sa pochette à sa ceinture.

À l'aide de la magie, les enchanteurs libérèrent les diamants de leur enclave rocheuse et refirent leur provision de pierres précieuses. Ils remarquèrent que toutes les pierres n'avaient pas la même couleur, certaines étaient d'une transparence parfaite, d'autres avaient des reflets bleutés, rougeâtres et même citrins.

Waldo glissa dans sa pochette d'autres diamants qui entourèrent le premier saisi. Il ignorait que ce diamant bleu était maudit et devait être repositionné dès que possible à son endroit d'origine, soit au front de la statue de la déesse de la Lune. Fort heureusement pour lui, les diamants rouges veillaient à contrecarrer son effet damné tant qu'ils étaient ensemble. De même que les diamants jaunes ajoutaient de la protection tandis que les diamants blancs apportaient la prospérité.

Les pochettes furent vite remplies. D'autres diamants restaient. Les Elfes auraient bien voulu en reprendre, mais Picou les avertit de freiner leur appétit :

— Il ne faudrait pas se surcharger. De toute évidence, les gens d'ici ne sont pas entichés de ce bien. Je crois que l'eau est le bien le plus convoité, et à juste titre. Elle est plus précieuse que ce tas de cailloux brillants.

Adora rougit. Bien qu'elle porte peu de bijoux, elle avait un faible comme son compagnon pour ces cailloux brillants. Picou avait raison. Sa pochette était pleine et pesait un bon kilo tout comme pour Waldo. Elle retira la moitié de son sac et regarda son ami qui décida de conserver le tout.

— En parlant d'eau, j'ai soif, se plaignit Nina en constatant sa gourde vide. Je n'ai plus une goutte d'eau.

— Moi non plus, dit Andrick en caressant son dragnard Frivole. Je lui ai tout donné.

— Je vous l'avais dit que ce n'était pas une bonne idée de piquer ainsi en plein centre de ce four, lança Arméranda en foudroyant du regard l'Elfe et le jumeau. Les belles pierres précieuses que nous avons ramassées ne nous apporteront rien.

À part ce volcan, le paysage était désolant. La chaleur était telle qu'un petit coin de verdure aurait été le bienvenu et surtout l'ombre d'un arbre. Adora fut la première à remarquer un coin de végétation parmi ces terres désertiques.

— Voyez-vous cet étang d'eau et ces arbres ? demanda-t-elle.

— Mais oui, dit Andrick. Allons-y !

Ils partirent dans cette direction à toute vitesse. Quelle ne fut pas leur surprise de voir ce coin de verdure disparaître au fur et à mesure qu'ils s'en approchaient !

— Oh ! Il n'y a pas que la boussole qui ne marche pas, s'attrista Nina. Il y a maintenant notre vue. Tout s'est évaporé dès notre arrivée.

— Et pourtant, dit Arméranda, j'ai eu la nette impression que ce coin de verdure existait.

— J'en vois un autre, dit Andrick en pointant beaucoup plus loin.

Ils sautèrent sur leur monture et, encore une fois, l'image de ce paradis s'évapora dans les airs dès qu'ils s'en rapprochèrent.

— Mais qu'est-ce que c'est ? demanda Adora. Cette vision disparaît dès que nous approchons.

— Des mirages, se souvint Andrick. Nous avons un phénomène similaire dans une des régions improductives à Dorado, la Terre Inculte. Par chez nous, c'est un phénomène rare, alors qu'ici, nous en avons vu deux en l'espace de 20 minutes.

— Nous épuisons nos bêtes, fit remarquer Arméranda. Je suggère que nous y allions plus doucement au lieu de partir en catastrophe.

Soudain, Inféra s'écria :

— J'en vois un autre, par-delà, derrière ce volcan. Beaucoup plus beau et plus grand.

La vue d'une autre oasis les rendit encore plus fous et le conseil de la jeune cavalière ne fut même pas suivi. Les Elfes sur leur yokeur émirent le yoyi yoyi hi hi hi de décollage tandis que les dragnards reçurent une taloche de départ sur le cou. Ils s'envolèrent à nouveau vers ce lieu prometteur. Malgré que les deux autres visions ne fussent que des mirages, ils étaient confiants. En 10 minutes, ils atteignirent l'endroit. Cette fois-ci, les arbres et autres plantations paraissaient de plus en plus réels. Ce coin de verdure ne disparut pas à son approche. Ce fut l'euphorie. La place mesurait environ deux kilomètres sur deux kilomètres et demi.

Des palmiers, des cocotiers et d'autres arbres fruitiers entouraient la place. En plein centre, une immense mare d'eau limpide et fraîche se transformait en une rivière sur quelques centaines de mètres. Ils en burent presque à s'en rendre malade et remplirent leurs gourdes à ras bord. Des figuiers, des pêchers et des dattiers poussaient en abondance. Ces fruits sucrés étaient un pur délice. Les yokeurs et Horus se délectaient dans cette végétation luxuriante. Les dragnards se dégourdirent les jambes en attrapant quelques lièvres du désert aux abords de l'oasis. Après quelques heures à dévorer de savoureux fruits, à éructer et à rire, l'ombre de la nuit s'empara des lieux. Arméranda devint soudainement nerveuse. Elle demanda leur attention et poursuivit :

— Je crains que ces lieux soient visités.

— Bien sûr que oui, ironisa Andrick en croquant dans une pêche bien juteuse. J'ai vu quelques fourmis.

— Je veux dire par des gens qui y viennent fréquemment.

— Qu'est-ce qui te fait dire ça ? demanda Nina.

— Les petites constructions, un peu partout.

Andrick était assis sur un joli banc en pierre. D'autres bancs étaient situés un peu plus loin et un pont avait été construit au-dessus du cours d'eau. Des pierres plates et blanches étaient déposées pour créer des sentiers.

— Oui, mais peut-être qu'il y a eu un peuple qui demeurait ici et qu'ils sont tous morts, rassura Picou. On ne voit aucune maison au-delà de ces dunes.

— Je suis sûre, marmonna Arméranda, que des gens y viennent régulièrement.

Bien repus, les chevaliers du Pentacle commencèrent à cligner des yeux après une chevauchée de plusieurs heures sous ce soleil de plomb et un débordement alimentaire. Une fatigue bienfaisante les engourdissait. Arméranda conclut :

— Je ne me sens pas rassurée. Ce soir, je vais faire le guet.

— Non, proposa Waldo en bon gentleman qu'il était, je le ferai. Je crois que j'ai été un peu trop sévère à ton endroit.

Pour démontrer sa bonne foi, l'Elfe mit un genou à terre et embrassa la main gauche d'Arméranda, la main du cœur. Cette dernière rougit. Elle n'était pas habituée à une telle gentillesse. Elle accepta son offre.

Waldo s'assit sur un des bancs avec sa gourde d'eau et les autres s'installèrent au sol pour dormir. En peu de temps, chacun ronfla après une journée passée sous un soleil ardent. À peine cinq minutes plus tard, incapable de résister à un sommeil de plus en plus pesant, ce fut au tour de l'Elfe de tomber dans les bras de Morphée bien malgré lui.

Sommeillant, Andrick eut l'impression d'être épié. Il ouvrit un œil. C'était la nuit. Le ciel était étrangement noir. Il ne remarqua rien de particulier. Il écouta. Rien. Il se rendormit. Quelques heures plus tard, il se fit bousculer par un homme vêtu de la tête au pied d'une djellaba blanche. À sa grande surprise, le magicien remarqua que tous ses amis avaient les mains liées et la bouche bâillonnée. Deux autres hommes se saisirent de lui et, avant même qu'il ne fît un geste ou n'émette un cri, il fut lui aussi attaché et bâillonné.

Les dragnards, les yokeurs et Horus avaient tous les yeux bandés et étaient attachés aux chevaux de ce peuple, des chevaux très différents de celui d'Arméranda. Ces bêtes géantes, mais plus petites que les dragnards, démontraient une grande force de dissuasion avec leur ossature massive et leur formidable musculature bien développée, des chevaux à la peau et à la crinière noires et aux yeux rouges comme l'enfer, des yeux hypnotiseurs. Pour compléter leur morphologie, ils possédaient des sabots énormes pouvant vous propulser à une grande distance et une bosse à l'encolure servant de réserve d'eau, des bêtes habituées à résister à la chaleur et douées d'une force herculéenne.

Un des soldats recouvrit les yeux d'Andrick d'un bandeau. Une longue marche débuta. Mains liées et yeux bandés, les chevaliers du Pentacle durent les suivre dans ce désert au sol brûlant. Tous regrettèrent leur imprudence et leur stupidité d'avoir pris avec trop de légèreté l'hypothèse d'Arméranda concernant la possibilité d'un peuple hostile vivant dans ce coin de paradis. Leur sort était désormais entre leurs mains.

CHAPITRE 2

RAMON ET FLAVIE

Assis dans une petite embarcation, Ramon et Flavie, un magicien et une fée, ramaient vers leur demeure. Ils revenaient d'une expédition d'une durée de trois jours. Ils recherchaient Imarène, une jeune sirène porteuse d'un dragon comme leur fille Inféra et comme une jeune Elfe du nom d'Adora. Malgré leur effort pour la retrouver, ils rentraient bredouilles et épuisés. La tristesse et la déception se lisaient sur leur visage.

L'aventure avait commencé un peu plus de 150 ans plus tôt. Ils étaient accompagnés de cinq autres enchanteurs et de quatre œufs de dragon. Pour sécuriser le transport, Brian, Mia et Dévi Wévi portaient des capes d'invisibilité lors des passages les plus difficiles. Tandis que Flavie, Ramon, Gabor et Wafia abordaient les zones dangereuses comme le passage du Vouvret et le mont Olympe gardé par les Douades. Arrivés à la Terre des Elfes, ils avaient fait la connaissance du roi Glorfindel et de sa conjointe, Elwing, ainsi que de leurs trois enfants, Rivala, Galdor et Adora. Cette dernière avait été choisie par son père pour devenir la porteuse. Son regard franc et ses magnifiques yeux d'un vert profond avaient charmé les enchanteurs.

À la poursuite de leur mission, le premier incapable de les suivre avait été Dévi Wévi, un enchanteur vif, rigolo et plein d'énergie. Son dragnard, Ariol, avait commencé à tousser et cracher du sang, un mélange de fatigue et de vieillesse. Il était mort à la Terre des Elfes. Ils n'avaient pas été inquiets de laisser Dévi seul sur ce territoire. Son humour et son minois sympathique avaient d'ailleurs fait tourner la tête d'une jolie Elfe noire, Marianne. Et comme le veut

la traditionnelle phrase d'un conte de fées :
ils s'étaient mariés et avaient eu de nombreux enfants. C'est ce qu'avaient souhaité
Ramon et Flavie.

À l'arrivée sur la Terre d'Achille, le groupe
d'enchanteurs avait constaté que la température était plus clémente qu'à la Terre des
Elfes. La forêt était dense et la végétation,
abondante. À la recherche d'êtres ayant une
espérance de vie plus longue que les
humains, ils avaient été introduits au monde
aquatique grâce à des habitants de la ville de
Nourem. Ces derniers vivaient dans une cité
éloignée du rivage, en plein cœur du pays.
Leur population s'élevait alors à 2 000 habitants et demeurait dans de belles maisons
solides construites en pierres et recouvertes
d'un toit en tuiles rouges. Très joviaux, ils
leur avaient offert l'hospitalité.

Ramon se souvenait du chef Quillian. Il
lui avait fait part de sa quête pour des gens
pouvant vivre plus de 100 ans. Surpris de
cette demande, il avait ricané.

— Ça existe, ils vivent au-delà de
20 000 ans.

— Oh! s'étaient écrié en chœur les enchanteurs.

— Mais ce ne sont pas des humains. Je ne crois pas que vous recherchez des êtres vivant dans la mer?

La suggestion d'un être aquatique était tout à fait appropriée pour le dragon d'eau. Les enchanteurs s'étaient regardés et souri.

— Peut-être bien, avait répondu Gabor.

— Alors, cherchez des tritons et des sirènes. Le haut est semblable à l'humain : une tête, un torse et deux bras. Par contre, le reste du corps se termine par une queue de poisson.

— Et comment peut-on les joindre? avait demandé Wafia, une gracieuse fée à la chevelure noire et aux yeux pourpres.

Il les avait alors mis en garde :

— Les sirènes sont particulièrement belles et attirantes. Elles apparaissent comme ça, en plein océan, au moment où l'on s'en attend le moins. Vous n'avez qu'à prendre une barque et en une heure ou deux, vous les verrez. Attention! Il ne faut pas les prendre à la légère. Ce sont des êtres ensorcelants au chant mélodieux. Elles vous envoûteront par leur ritournelle et leurs ravissants colliers, puis elles vous entraîneront au fond de l'océan pour ne plus revenir à la surface de l'eau. C'est ainsi que plusieurs des nôtres sont disparus à tout jamais.

Flavie et Ramon avaient été chargés de cette mission : la recherche d'un ou d'une porteuse de dragon. Les autres les avaient observés du haut de la falaise et ils s'étaient tenus prêts à intervenir, s'il y avait lieu. Comme l'avait dit Quillian, les joyeuses sirènes avaient fait leur apparition après une heure d'attente. Elles avaient tournoyé autour de leur barque. Les deux enchanteurs leur avaient plu avec leur chevelure rous-sâtre et les jolies ailes de Flavie. Elles avaient ensuite commencé leur chant ensorcelant. En peu de temps, les deux enchanteurs avaient analysé leur morphologie. Puis, ils avaient sauté à l'eau et pris un aspect de triton et de sirène. Étonnées et ravies de ces nouveaux compagnons, elles avaient fait ce qu'ils leur avaient demandé et ils avaient tous nagé jusqu'aux parents des sirènes.

Ils avaient ainsi appris que c'était les enfants de Poséidon et de Pélée Émeraude. Les parents avaient été très attentifs et honorés par cette visite singulière. Compre-nant que ces enchanteurs provenaient d'un pays inconnu du nom de Dorado, ils avaient écouté la merveilleuse histoire de dragons qui volaient dans les airs et qui crachaient du feu, ce qui était bien différent de la petite créature gentille et inoffensive vivant dans les fonds marins qu'ils appelaient dragon de mer feuillu. Le roi avait présenté ses enfants au nombre de 208. Malgré le nombre impressionnant de sa progéniture, il ne s'était pas trompé. Avec assurance, il les avait nommé un à un. Ç'avait été la belle Imarène qui avait séduit le plus Ramon et Flavie.

Elle avait de l'assurance pour une jeune sirène de 32 ans. Elle était une des plus jeunes. Ramon avait présenté l'œuf de couleur turquoise marbré argent, évoquant l'eau. Elle avait caressé cet œuf étrange. Après bien des explications auprès des parents et auprès de cette jeune sirène, l'œuf avait disparu. Grâce à la magie, il sommeillait à l'intérieur d'Imarène. Elle avait alors compris l'importance de cet honneur d'être une porteuse de dragon.

Elle avait saisi qu'elle était la troisième porteuse et qu'un jour lointain, le règne des dragons répondrait à une nécessité vitale. Dès cet instant, elle et d'autres porteurs devraient se réunir et libérer les cinq derniers dragons. Le mécanisme de libération consisterait à rapprocher les cinq pointes du pentacle portées par chacun des porteurs. Au contact, elles se souderaient et, dès cet instant, les dragons quitteraient définitivement le corps de leur porteur. Ayant accepté le processus, elle avait compris l'obligation de ne jamais se séparer de ce collier et de cette pointe.

Au retour sur la terre ferme, Ramon et Flavie avaient fait part à Brian, Mia, Gabor et Wafia que leur mission avait été un succès. Il ne restait plus que deux autres œufs à dissimuler : celui du dragon de l'air et celui de l'acier. À la suggestion de Brian, étant donné que Imarène vivait dans l'eau et n'avait pas, comme Adora et Inféra, un protecteur, Ramon et Flavie avaient consenti à rester sur place. Avec l'aide des Nouremniens, ils avaient aménagé une grotte et des galeries, construit des échelles escamotables et sculpté un repère facile à localiser en forme d'immenses flûtes. C'est ainsi que le groupe s'était séparé et les quatre autres enchanteurs s'étaient envolé dans une région plus au nord.

Soixante-quinze ans après leur aménagement dans leur nouvelle résidence, un phénomène incompréhensible et étrange avait débuté. La lune ne brillait plus et la pluie s'était faite de plus en plus rare au point qu'elle s'évaporait avant de toucher le sol. La flore luxuriante s'était amenuisée au point de s'effacer totalement. Plus aucun animal ne vivait et plus aucune plante ne poussait. Les nombreux ruisseaux et rivières irriguant les terres s'étaient asséchés. Les habitants de cette adorable ville de Nourem étaient morts de famine. Un sable fin était venu ensevelir les lieux et les traces de cette communauté. Plus aucun signe de vie n'était apparent au haut de cette falaise. Seules les dunes changeaient de forme au gré des vents.

Les deux enchanteurs auraient bien aimé fuir ces lieux devenus désertiques et inhospitaliers, mais leur devoir leur avait commandé de rester. Pour se désennuyer, ils avaient prolongé la grotte par un habitat tout en verre et en acier sous un promontoire. Du haut de la falaise, cet habitacle n'était pas visible et les protégeait contre d'éventuels intrus malfaisants.

C'est ainsi que Ramon et Flavie, ces deux êtres désillusionnés par la vie, naviguaient sur une mer calme. À quelques mètres de leur résidence, ils virent une plume flotter sur les eaux.

— Ramon, regarde cette plume! fit Flavie en pointant l'objet.

— Une plume d'oiseau dans ce désert? Est-ce possible? C'est bien la première fois qu'une plume flotte près de notre résidence.

Ramon se pencha pour la prendre et l'examina de près. Les caractéristiques correspondaient à celles d'un yokeur, cet oiseau transporteur originaire de la Terre des Elfes, par sa grandeur et sa couleur bleutée.

— On dirait bien la plume d'un yokeur, déduisit Ramon.

— Tu as raison. Ça ne peut être que la plume d'un yokeur.

— Penses-tu à ce que je crois? s'excita Flavie.

— Tu veux dire, des visiteurs? Peut-être Adora, la porteuse de dragon?

Flavie opina de la tête. Mus par l'adrénaline, ils accélèrent la cadence. Ils accostèrent et attachèrent leur barque à un pieu. Ensuite, ils accédèrent au haut de la falaise par un ingénieux système d'échelles coulissantes accolées à différents endroits de la paroi rocheuse. Ils l'atteignirent, essoufflés, mais furent déçus. Aucune présence ne se révéla à eux. Par contre, ils reconnurent les indices d'un passage récent de voyageurs.

— Tu vois, ce morceau de pain est sec, dit Ramon en ramassant un aliment gros comme un pois à quelques centimètres de bouts de bois calciné.

Il continua à regarder autour des restes d'un feu.

— Ils sont venus plusieurs fois, poursuivit-il en ramassant cette fois-ci un fragment de fromage à peine ratatiné. Celui-ci date d'hier.

— Est-ce que tu penses que ce serait notre fille Inféra qui serait à la recherche des autres porteurs de dragon ?

— Je ne peux que l'espérer. Ça fait si longtemps que nous l'attendons.

Flavie ramassa de longues plumes bleues semblables à celle qui flottait sur l'eau. Des larmes de joie coulèrent sur ses joues creuses. Elle s'enthousiasma :

— Tu vois ? Des plumes de yokeurs ! Je n'ai aucun doute, ce sont des plumes de yokeurs.

Le cœur de Ramon se mit à battre à tout rompre. À son tour, il les prit et les regarda soigneusement. Il enlaça sa femme.

— Espérons qu'il s'agit des yokeurs de la porteuse de dragon et qu'elle soit accompagnée de notre fille Inféra. Ah! par la barbe des dieux, nous n'étions pas là lors de leur passage. Il nous faut attendre.

Découragé, il s'assit sur une grosse pierre. Il s'en fallut de peu pour qu'il laisse ses émotions prendre le dessus. Cent cinquante années à attendre et ils avaient manqué leur arrivée. Tous les deux s'en mordaient les doigts. Flavie se laissa aller et pleura.

— Et dire que nous venons juste de perdre de vue Aqualon, ce damné dragon. Il n'en fait qu'à sa tête, s'enflamma Ramon.

— Imarène est une sirène trop douce et trop aimable. Aqualon ne respecte pas sa porteuse. Il est devenu trop présent, sanglota sa conjointe. Il faudrait qu'elle apprenne à s'affirmer et à le commander.

— Oui, tu as raison, ma femme. Il faudrait aviser son père. Avec son trident magique, Poséidon pourrait discipliner sa fille et par la même occasion calmer l'ardeur d'Aqualon.

— Je crois, mon amour, qu'on n'a pas le choix. On devra le rencontrer et lui parler du danger qu'elle court. Il en va de même de la vie de notre fille porteuse et de la jeune Elfe.

Avant de redescendre par une échelle les amenant au promontoire situé un peu plus bas et ensuite à leur résidence, ils regardèrent tout autour d'eux. Ramon n'y vit que des dunes de sable, un paysage désolant qui se transformait au fil des jours. Parfois, le vent sculptait des vagues, parfois les dunes s'aplatissaient et devenaient aussi lisses qu'un drap repassé. Ils comprirent qu'aller au-delà de ces dunes, c'était la mort assurée.

— Nous sommes prisonniers, se désola le magicien. Nous n'avons qu'une barque pour nous transporter sur la mer, rien pour voyager sur ces terres arides. Sans dragnard, ni yokeur, il nous faut attendre.

Ils s'attristèrent de leur condition. Ramon mit son bras autour des épaules de sa compagne, toute menue et frêle. Comme sa fille, elle avait les mêmes yeux émeraude et une chevelure rousse tirant sur le blond. À l'aide de ses grandes ailes opalines, elle pouvait voler à une certaine hauteur sans pouvoir toutefois parcourir plusieurs kilomètres. Elle se dégagea de son étreinte et se souleva dans les airs. Elle mit pied sur la plus haute sculpture. Elle n'y voyait que du sable brûlant. Elle redescendit et soupira :

— Rien à des centaines de kilomètres. Sans Taoua et Mirlou, nous sommes condamnés à demeurer ici. Ils nous ont bien servi. C'était de bons dragnards, doux et affectueux. Si au moins Aqualon nous avait donné un dixième de l'affection de nos dragnards, j'en serais bien heureuse. Au lieu de cela, c'est un fugueur irrespectueux.

Ils descendirent par l'échelle de corde bien cachée derrière un rocher. Avant d'accéder à leur résidence, ils ramassèrent quelques légumes sur ce plateau qu'Andrick avait remarqué quelques jours plus tôt. Ils avaient réussi à faire pousser quelques végétaux. Leur nourriture quotidienne constituait d'une gibelotte de poissons, d'algues et de leur mince récolte de légumes.

Imperceptible au haut de la falaise, un système de parapluies en plaques de verre servait à la production d'eau potable par distillation. Chaque jour, à l'aide d'une longue corde et d'un seau, ils recueillaient de l'eau de mer, la versaient dans des récipients et les couvraient de ces parapluies. Avec ce soleil de plomb, le verre réchauffait l'eau, des vapeurs d'eau se créaient et adhéraient aux plaques. Les parois des parapluies légèrement inclinées laissaient glisser l'eau douce ainsi obtenue dans un système de rigoles qui transportait cette eau potable à leur demeure accrochée un peu plus bas à la falaise. À la fin de la journée, il ne restait que du sel dans les récipients.

Cet après-midi-là, une fois leur corvée accomplie, ils contemplèrent l'océan à partir de leur demeure. De gros nuages noirs se déplaçaient rapidement. La mer s'agitait et se gonflait. De grosses vagues frappaient les parois de l'escarpement. Bientôt, le niveau d'eau de la grotte du dragon d'argent située au pied du ravin augmenterait et elle deviendrait accessible aux sirènes. Ils respirèrent un grand coup et Ramon dit :

— Les sirènes reviennent. C'est une bonne chose.

Comme de coutume, elles aimaient fréquenter la caverne située sous la résidence de ces deux enchanteurs, loin de leur père Poséidon. Ces gros nuages léchaient la falaise aux 300 grottes, un mur fragile semblable à un fromage gruyère. Puis, ils s'élevaient très haut dans l'atmosphère avant de poursuivre leur course. Ils déchargeaient leur eau au-dessus de ces terres surchauffées par le soleil. Par malheur, l'eau s'évaporait à mi-chemin et ne laissait aucune trace d'humidité bienfaisante. Seul le petit îlot de verdure sur le promontoire jouissait d'une ondée passagère et bienfaisante au passage de ces nuages.

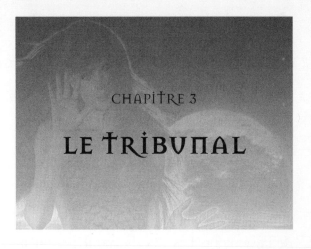

CHAPITRE 3

LE TRIBUNAL

Après deux longues heures d'une marche pénible sous un soleil implacable, ils entrèrent dans un endroit frais et fermé sentant la cire. Malgré le bandeau sur les yeux, ils perçurent qu'ils pénétrèrent dans un grand bâtiment construit en pierre. Leurs pas résonnèrent sur ce matériau dur. On leur fit comprendre de s'agenouiller et lorsqu'on leur enleva le bandeau, ils virent avec horreur qu'ils étaient entourés de 12 cobras encore dans leur panier, et de 12 hommes armés dans une grande salle dont les murs inclinés s'élevaient à une vingtaine de mètres.

Ne bougeant pas d'un poil, les chevaliers du Pentacle commencèrent à transpirer abondamment. Devant eux, un fauteuil en or se dressait au haut d'un escalier de sept marches. Ce trône se trouvait au fond de la pièce et au-dessus, accrochée au plafond, flottait une grande tapisserie illustrant un soleil couleur or sur fond blanc. Une inscription sur chaque marche indiquait les sept jours de la semaine. Les 12 cobras qui gigotaient autour d'eux représentaient sans l'ombre d'un doute les 12 mois de l'année. Les lieux étaient majestueux et sombres. Aucune lumière naturelle ne parvenait par les ouvertures constituées d'un jeu de pierre en chicane. Disposées à plusieurs endroits, elles ne laissaient passer que l'air. Des milliers de bougies éclairaient les lieux et ce vent léger les faisait vaciller. Les ombres des cobras dressés et des soldats avec leur lance n'en paraissaient que plus menaçantes.

Un homme vêtu d'un drapé blanc cintré à la taille par une ceinture et aux broderies dorées en lisière arriva sur le côté gauche de l'estrade en marchant dignement. Il était suivi de deux gardes tenant chacun une pertuisane. En plus de cette longue tunique en lin javellisé, il portait une couronne garnie de feuilles de laurier en or et une cape portée négligemment sur ses épaules aux devants accrochés par une chaînette en or. L'homme dans la quarantaine s'assit sur le trône, en disposant soigneusement sa cape jaune étincelant sur les bras du fauteuil. Une fois assis, les gens au bas de l'escalier pouvaient admirer ses ongles d'orteils très bien manucurés et ses sandales faites d'un cuir souple aux couleurs laiteuses et sans trace d'usure.

Un des gardes se mit à gauche et le deuxième, à droite de ce dignitaire. Cet individu personnifiant l'autorité éleva sa main gauche et la tendit en avant de lui, toute droite, la main ouverte. Aussitôt, les 12 hommes encerclant les prisonniers s'agenouillèrent et déposèrent leur épée et leur lance au sol. Ils collèrent leur tête sur leurs mains posées au sol en disant en chœur :

— Ô très grand Naga, que ta bonté nous protège ! Toi, Naga, le dieu du Soleil, dicte-nous ta loi et nos devoirs, ô grand Naga.

Le grand maître abaissa sa main. Un d'eux se releva et prit la parole :

— Ô grand Naga, ils ont saccagé les lieux saints, mon très grand maître. Ils se sont délectés de notre eau et de nos fruits et leurs bêtes ont ravagé nos terres. Quel châtiment, ô grand Naga, prévoyez-vous pour ces infâmes?

Le grand maître Naga se mit sur son séant. Il souriait et caressait sa barbichette d'un noir corbeau. Les plus jeunes du groupe l'amusaient. «Des enfants!» se disait-il. Il explora tout haut les diverses punitions possibles pour une mort lente autant que possible. Il les énuméra en ayant un débit lent et prétentieux et en accentuant puissamment certains mots. De l'endroit où il se trouvait, ses paroles résonnèrent sur les murs nus:

— Cher PEUPLE NAGALIEN, mon esprit se concentre et LE DIEU NAGA EN MOI m'inspire UN CHÂTIMENT JUSTE ET ÉQUITABLE pour la violation de notre oasis, NOTRE LIEU DE RECUEILLEMENT et de ressourcement. Ma PREMIÈRE IDÉE qui me vient en tête, serait un COMBAT LOYAL, D'ÉGAL À ÉGAL, entre des humains et mes cobras.

Il eut un fou rire dont le son se réverbéra à répétition. Les gardes sourirent et gonflè-

rent leur torse. Il rit à nouveau et ses expira-
tions saccadées se prolongèrent en écho
d'un mur à l'autre. La troupe eut l'impression
qu'il prenait goût à rire à ces réverbérations.
Il pouffa à nouveau. Des larmes jaillirent de
ses yeux. Il était le seul à se marrer. Enfin, il
ralentit ses gloussements de plaisir et il se
ressaisit. Il poursuivit :

— Un combat loyal dans l'arène avec
mes 12 cobras sacrés. Il y a longtemps que
mon peuple n'a pas apprécié un grand divertissement. Ce sera un beau spectacle, SIX
BRAVES GENS CONTRE MES COBRAS
SACRÉS. Ah! zut! Ce serait trop rapide. Mes
chéris sont tellement efficaces et rapides. Ils
gagneraient immédiatement.

Il fit mine de réfléchir profondément en
esquissant un affreux rictus. Il roula sa tête
en oblique et leva les yeux au ciel. Le peuple
et lui n'avaient pas eu d'amusements depuis
de longues années et voilà que ce drôle de
groupe s'amenait à lui. Ensuite, il abaissa sa
tête et regarda ses ongles. Négligemment, il
ajouta :

— Une simple morsure et c'est fini.
Tiens! J'y pense, les attacher à un poteau,
une bonne exposition au soleil. Dans un premier temps, ils deviendront bouffis, rouges

et pleins de cloques et ensuite, le soleil les déshydratera comme de vulgaires pruneaux. Ou encore mon préféré, L'EMPALEMENT, QUEL SUPPLICE FORMIDABLE, lent et douloureux! Nous avons une belle place publique qui ne sert à rien. Il y a un petit marchand qui vend des limonades et des orangeades. Il manque de la décoration. De jolies sculptures comme les vôtres, ça devrait améliorer ses ventes de boissons.

Les cobras dressés et ayant le cou dilaté dandinaient leur tête et sifflaient en signe de joie et d'approbation. Le grand Naga ne comprit pas pourquoi ce groupe ne semblait pas effrayé par son discours éloquent. Il devait avoir affaire à des sans-génie, à des idiots venus d'ailleurs. Ce fait l'ennuyait. C'était à ses yeux moins excitant puisqu'ils ne réagissaient pas comme des personnes normales.

Au lieu de le craindre et de le supplier de les épargner de ces effroyables châtiments avec des petites voix tremblotantes et pleines de larmes, ils semblaient concernés par deux des leurs dont le ventre s'était enflé légèrement. Le grand Naga pensa qu'il s'agissait d'une trop grande ingestion de dattes ou de fruits non mûrs. Il n'en revenait pas des sens primitifs de ses invités. «Des païens qui méritent une leçon, se dit-il. Je ne suis pas à la hauteur avec ces petits supplices enfantins. Il m'en faut un des plus spectaculaires. »

Pour la première fois, Adora et Inféra sentirent simultanément leur dragon grandir en elles. Elles comprirent l'intérêt de leur protégé pour les bêtes se balançant à côté d'eux. Ces reptiles étaient d'humeur trop joyeuse et trop bruyante. Ils ondulaient de la tête, soufflaient et sifflaient. Draha et Spino, qui n'avaient jamais entendu des fredonnements si merveilleux, furent pris de curiosité. Ce chant les attirait. Ils voulurent voir de près de quel animal il s'agissait. En peu de temps, ils grandirent.

À la stupéfaction des Nagaliens, les deux dames disparurent de leur vue et deux masses, une rouge et une verte, apparurent ; deux masses écailleuses et brillantes pourvues d'ailes et d'une majestueuse tête éjectant de la fumée. En quelques secondes, elles prirent de l'ampleur. Leur croissance ne semblait pas s'arrêter. Les soldats se mirent à trembler de tous leurs membres. Le temple devint vite trop petit. Leurs têtes touchèrent le haut du bâtiment et quelques pierres tombèrent. Elles déployèrent leurs ailes. Les Nagaliens reconnurent cette forme. Ils murmurèrent entre leurs dents : «Des dragons.»

Spino se courba et abaissa sa tête, et la vue de cobras le réjouit. Il s'en pourléchait les babines. Les chevaliers du Pentacle, occupés à leur survie, se déplacèrent entre les pierres tombées, les cobras et les dragons. Andrick et Waldo firent un effort suprême pour se glisser près d'eux. Tous les deux essayèrent de convaincre les dragons de reprendre leur forme. Mais rien à faire, ils n'avaient d'yeux et d'oreilles que pour ces charmants najas.

— Mes confrères, ironisa Spino en crachant un peu de feu vers eux. Comme j'ai hâte de vous connaître plus intimement.

— De charmants petits reptiles, dit Draha en soufflant une longue lame de flammes qui en lécha deux. Ils sont adorables, hum… ils sont tellement beaux… hum… beaux à croquer. Bien grillés, ils doivent être splendides et glisser tout doucement dans la gorge comme du miel.

— Oh! oui, tu as parfaitement raison, dit Spino, le fringuant dragon rouge.

Il n'en pouvait plus d'attendre. Il éjecta un peu plus de feu, ce qui fit réagir les serpents. Les deux hommes supplièrent les dragons de cesser leur manège et de redevenir des porteuses de dragon. Draha, pourtant si obéissante à Waldo, le défia. Amusée par la réaction de son collègue, elle l'imita. Les serpents apeurés se regroupèrent. Ils sifflèrent de peur et l'un d'eux demanda :

— Mais qui zzêtes-vous ?

— Oh! oh! ils parlent notre langue, dit Spino en se tournant vers Draha. Avec leur langue fourchue, ils ont un peu de difficultés à bien prononcer. Que c'est mignon ! Tu ne nous reconnais pas, cousins lointains ? Nous sommes des dragons.

— Des zzdragons ! sifflèrent-ils très haut et très fort. Oh! oh!

Les doux chéris du grand Naga comprirent que leur vie était précaire. Leurs parents et grands-parents leur avaient conté que des dragons avaient déjà existé et que leur nourriture préférée était des cobras bien rôtis. Ces visions les firent trembler de peur. En une fraction de seconde, ils s'abaissèrent et déguerpirent. Jamais, les soldats n'avaient vu leur animal de compagnie se dérober de leur vue à cette vitesse.

Les dragons se retournèrent pour les attraper. Leurs queues firent tomber quelques-uns des hommes. Waldo, qui avait évité de justesse qu'une pierre l'écrase, demanda à Draha de reprendre sa forme. Les jumeaux firent de même pour Spino. Ils les supplièrent d'être raisonnables. Rien n'y fit. Ils étaient trop excités, ils bougeaient dans tous les sens. Quelques autres pierres tombèrent. Le bruit était assourdissant et, malgré les ordres répétés de Waldo et des jumeaux, les dragons rugirent et projetèrent du feu. De peur d'être écrabouillés par des projectiles rocheux, les 12 hommes quittèrent les lieux promptement comme les cobras. En les voyant courir vers la sortie, le grand maître grimpa sur son fauteuil et mit ses mains en porte-voix. Il cria :

— REVENEZ, BANDE DE LÂCHES, SINON UNE MALÉDICTION TOMBERA SUR VOUS ET VOS FAMILLES. REVENEZ !

Ces menaces du grand Naga, personne ne les entendit et personne ne revint sur ses pas. Les deux dragons avaient hâte de goûter à cet aliment de choix qui venait de fuir par la porte d'en avant. L'étroitesse des lieux ne leur permit pas de déployer leurs ailes, ni de sortir par l'ouverture principale. Ils cherchèrent un moyen d'évacuer l'endroit. Draha s'agrandit en poussant sur ses pattes de derrière pour créer une plus grande ouverture au toit. Elle reçut une pierre sur son pied qu'elle-même avait fait bouger. Elle hurla de douleur :

— Spino, je suis blessée.

— Je vais dégager l'endroit en deux mouvements, ma chérie.

— Ne fais rien. Tu risques de te blesser, mon amour.

Comprenant que la situation était dangereuse et n'ayant pas la possibilité de s'envoler, les deux dragons attristés reprirent leur forme initiale.

— Ce n'est que partie remise, lui dit Spino avant de redevenir Inféra.

Libéré de ces vilaines bêtes sifflantes et hypnotiques ainsi que des gardiens, Andrick se débarrassa de ses liens en un rien de temps et fit de même pour ses compagnons. Le maître Naga se retrouva seul avec les chevaliers du Pentacle. Il tremblotait et riait jaune. Les deux monstres avaient disparu et il ne comprit pas ce tour de passe-passe. Debout sur son siège, il essaya de conserver une attitude noble en se raidissant le dos. Ses genoux claquaient de peur et il dut descendre de sa position hautaine. Il s'assit et lissa sa cape sur les bras de son fauteuil.

Lorsqu'il s'adressa à cette troupe d'idiots, il se surprit à bégayer :

— Chers in… vivivités, bien… bien-veveve… nue chez moi.

— N'AURIEZ-VOUS PAS UN PEU D'EAU POUR SOULAGER ADORA ? SON PIED EST AMOCHÉ ! hurla Arméranda.

Il se retourna pour le demander à un de ses gardes, mais ils avaient quitté l'estrade. Il s'affola lorsqu'il vit un rat blanc étendu par terre près d'Inféra.

— UN RAT, UN RAT ! tonitrua-t-il. OÙ SONT MES COBRAS ? OÙ SONT-ILS POUR QU'ILS LE BOUFFENT ?

— JE VOUS AI DEMANDÉ DE L'EAU ? s'égosilla à nouveau Arméranda.

— Ça vient, ça vient, articula-t-il en se dirigeant vers l'endroit où il était entré.

— QUE JE NE VOUS VOIS PAS DISPARAÎTRE COMME LES AUTRES ! hurla Andrick. NOUS AVONS PLUS QU'UN TOUR DANS NOTRE CHAPEAU.

Le grand Naga n'en doutait pas, car à la vitesse avec laquelle ses prisonniers s'étaient libérés de leurs liens, il craignait qu'ils soient de grands magiciens venus d'ailleurs.

Picou ne filait pas du tout. Lorsqu'Inféra s'était métamorphosée en Spino, il était dans une des poches de son gilet. Lors de la transformation, il s'était retrouvé à l'intérieur. Pendant un court instant, il avait cru que ses derniers jours étaient venus. Il n'avait presque plus d'air pour respirer. Il comprit qu'à l'avenir, il était souhaitable de ne plus jamais se tenir près de sa compagne. Le dragon prenait de plus en plus d'assurance et de force. Ce n'était plus les colères qui l'alimentaient pour se transformer, mais c'était plutôt la curiosité et la présence de sa nouvelle compagne qui le stimulaient. Leur symbiose risquait de provoquer l'apparition plus soudaine et plus fréquente de Draha et de Spino.

— Comment vas-tu ? demanda Inféra préoccupée par son état.

— Ouf ! Ça va mieux. Je reprends mes sens.

— J'ai cru comprendre que tu étais avec moi lors de la métamorphose.

— Oui, et ce ne fut pas agréable. Je manquais d'air.

— De même pour moi, dit-elle.

— Hein !?

— Depuis quelque temps, lorsqu'il se transforme, j'ai l'impression qu'il réduit mon espace vital. Je commence à manquer d'oxygène.

— Ah! ma chère Inféra, pleura-t-il en glissant sa main sur la sienne, le temps presse.

Lorsque Naga arriva, il ne comprit pas pourquoi ils pleuraient tous. Après tout, Adora n'avait que le gros orteil amoché. Il siffla de dégoût. Être sentimental était la pire des émotions. «Des primitifs et des païens», se répéta-t-il. Il regarda le toit de son temple. Une partie était endommagée. Il se dit : «Ces mécréants me le paieront tôt ou tard. »

CHAPITRE 4

UN TROISIÈME DRAGON

Les vagues étaient de plus en plus hautes et agitées. Le groupe de neuf sirènes nagea vers la grotte du dragon d'argent situé sous l'habitacle de Ramon et Flavie. Par mauvais temps, elles adoraient cette place calme, confortable et sans remous, loin de Poséidon, un père plutôt autoritaire, et de leurs frères méprisants. D'un autre côté, leurs parents ne les recherchaient pas sachant que ce lieu était sécuritaire et que deux protecteurs veillaient sur eux.

Une fois sur place, Imarène se plaignit de la présence de plus en plus accaparante de son dragon. Éva, une jeune harpiste qui ne se séparait jamais de son instrument de musique, chanta une mélodie en pinçant les cordes d'une harpe troubadour sanglée à son épaule :

— Ô ô divine Imarène, tu devrais ooooooh t'en débarrasser, ô ô ô gentille grande sœur, oooh oh oh ma divine sœur.

— Je voudrais bien, se lamenta Imarène, mais mes protecteurs Ramon et Flavie m'ont bien dit qu'il n'y avait qu'une manière de s'en débarrasser. Lorsque le temps sera venu, quatre autres porteurs se réuniront.

Elle souleva une chaînette soutenant une partie d'un objet en or. Elle poursuivit :

— Cette pointe se soudera à quatre autres et formera un pentacle qui libérera les dragons des porteurs. J'ai très hâte de connaître ce moment. Ça fait tellement longtemps que j'attends cet instant.

— Ah oui, se rappela Mirlane, la plus âgée du groupe. C'est ennuyeux que tu doives le conserver. Il y aurait belle lurette que je l'aurais jeté. Il est tellement laid comparé à nos magnifiques colliers de coraux aux couleurs vives. Tiens ! je l'aurais laissé près du coffre au trésor qui gît au fond de l'océan, celui des pirates que nous avons ensorcelés avec le tas de perles et d'autres ferrailles!

— J'adore les pirates, soupira Ariane, la plus bricoleuse du groupe qui taillait un bout de bois en forme de cuillère. C'est malheureux qu'il n'y en ait pas plus. J'aime bien leur faire de belles parures de fleurs et de coquillages. Lorsque je tends un de mes magnifiques colliers, ils sont prêts à se jeter à la mer pour le saisir.

— Ils sont trop *cool*, dit la cadette Zoé, la plus enjouée qui se nattait des petites tresses. Lorsqu'ils nous voient, ils ont les yeux qui tournent par en dedans. Oh là là! Ils sont horriblement laids.

— Ouais, roucoula Sophaline, la plus coquette du groupe qui aimait s'admirer dans son miroir et qui montait ses cheveux en un haut chignon. Ils sont tellement beaux avec leurs grosses barbes. J'adore surtout ceux à la chevelure de feu.

Doria replaça ses cheveux ébouriffés avec des teintes d'absinthe d'une main. De l'autre, elle saisit un crustacé. Elle appréciait la bonne chère, surtout les pinces de homard. Malgré son fort dédain pour la gent masculine, son chant était nettement plus envoûtant que celui de toutes ses autres sœurs pour séduire des marins ou des tritons. Elle n'aspirait pas à avoir des enfants ; d'après elle, ils en avaient déjà beaucoup trop. Aussi, tout en croquant une belle crevette dodue, elle émit son opinion concernant ces marins :

— Moi, je les déteste. Ils sont trop poilus. WASHHHHH ! Je suis fort heureuse de les ensorceler. Ils tombent à l'eau rien qu'en m'entendant. Ils tombent comme une grosse pierre. Un simple plouf ! et les voilà au fond de l'eau comme une pierre tombale.

— On devrait aller en reconnaissance près de l'île demain pour trouver des marins, dit Éva. Ça fait un bon bout de temps que nous n'y sommes pas allées. J'aime tellement chanter pour eux. Ils ont un air si coquin juste avant de passer par-dessus bord.

— Hé, ho, vous oubliez que ce n'est pas prudent, dit Lolia, la plus sérieuse. Certains réussissent à nous déjouer en se mettant de la cire dans les oreilles. Ainsi, certaines de nos sœurs ont été kidnappées par ces monstres. Il faut s'en méfier.

— Moi, j'aime mieux lire des romans d'amour, soupira Bibiane qui portait d'affreuses lunettes d'écaille. Je rêve à un riche triton qui viendrait me chercher et m'emmener dans son château, un magnifique palais couvert des plus beaux coraux. Il m'aimerait et je serais sa jolie princesse aimante et douce.

— Et ils eurent de nombreux enfants, ricana Mirlane.

— ASSEZ! s'écria Imarène. Vous n'avez qu'à penser à vous tandis que moi, j'ai un monstre. C'est loin d'être plaisant d'endurer ses transformations.

Sophaline bâilla et s'allongea sur un des récifs de l'entrée. Elle s'en fichait bien des gémissements de sa sœur. Elle préférait s'admirer et prendre soin d'elle. Elle démêla ses cheveux aux teintes de pistache et réussit à défaire son chignon. Ensuite, elle essaya de les lisser. Elle grimaça. Sa chevelure était remplie de coraux, de bouts de bois et d'algues. Tout en brossant sa tignasse, elle dit à sa sœur Imarène qui nattait sa longue tresse :

— Ouais, ouais, tu n'arrêtes pas de te plaindre. Tu ne réalises pas comment on s'ennuie. Depuis de nombreuses années, il y a de moins en moins de voyageurs. Quelle platitude! Au moins, toi tu as de l'action. Tu ne sais jamais quand ton bel Aqualon va émerger de ton corps. Tu sais, il est super avec ses gros yeux bleu acier et ses ailes d'un bleu outremer. Son corps argenté a de beaux reflets turquoise et bleu. C'est vraiment une belle bête, plus belle que n'importe lequel des hippocampes de notre père.

— Ah oui! dit Ariane. Ton dragon est nettement plus beau, plus gros et plus puissant que nos chevaux marins malgré leur devant de corps de cheval, leurs puissantes nageoires arrière et leur magnifique et longue queue de poisson.

Imarène s'éloigna du groupe en pleurnichant. Elle était frustrée de n'être pas comprise de ses sœurs et encore moins du paternel. Elle le sentait bien. Ses jours étaient comptés et les autres s'en fichaient.

Sur les entrefaites, Ramon et Flavie arrivèrent. Ils avaient descendu les corridors intérieurs en empruntant une série d'échelles, ce qui était assez ardu. D'un coup de baguette, ils auraient pu se transporter sans effort à cette place. Cependant, voulant utiliser le moins possible leur magie afin que les sirènes comprennent que le grand Art doit être employé à bon escient, ils marchèrent le long des parois de la grotte du dragon d'argent sur une étroite bordure aux pourtours du lac.

— Salut vous toutes, dit Flavie, mes jolies sirènes!

Elles répondirent en chœur :

— Bonjour, mon oncle et ma tante !

C'est ainsi que les sirènes les appelaient et elles savaient que cet homme vêtu d'une affreuse longue robe verte et cette fée n'étaient pas des jouets comme les marins venant de l'île des Brigands. Ils étaient là pour une mission, la réunion des cinq dragons. Il n'était pas question de les ensorceler, faute de créer un incident malheureux pour leur sœur, la porteuse.

— Chère Imarène, ajouta Flavie, j'ai une bonne et une mauvaise nouvelles.

— Ah ! s'écrièrent les sirènes en chœur.

Elles avaient une voix particulièrement aiguë. Ramon et Flavie firent un effort pour ne pas se boucher les oreilles et les écouter en faisant abstraction de leur timbre de voix strident.

— Commencez par la bonne nouvelle, dit Arielle. Je n'aime pas entendre les mauvaises nouvelles.

— Oui, confirma Imarène, la bonne !

— Eh bien, dit Ramon en essayant de ne pas grimacer à ces sons aigus, nous croyons que le temps est venu, chère Imarène, de te libérer de ton dragon.

Elle lâcha un soupir de soulagement et se glissa au fond de l'eau, trop heureuse. Pendant quelques minutes, elle nagea avec souplesse au fond du lac. Puis elle stoppa en se demandant : «Quelle était la mauvaise nouvelle?» Elle remonta vite à la surface et s'enquit de l'autre annonce :

— Et la mauvaise nouvelle, c'est quoi?

— Nous avons perdu leurs traces, chuchota Flavie attristée.

— Les traces de qui? demanda la sirène.

— De deux autres porteurs. Ils étaient au haut de la falaise lorsque nous vous recherchions.

Imarène claqua de ses deux mains la surface de l'eau, trop choquée. Elle aurait préféré ne pas connaître la bonne nouvelle puisque la mauvaise annulait la bonne.

— C'est trop bête, s'écria-t-elle. Vous les attendiez et lorsqu'ils arrivent, vous n'êtes même pas là pour les recevoir.

— Nous n'avions pas le choix, de répondre Ramon avec une pointe de colère, nous n'avions pas de nouvelles de vous depuis trois jours. Nous étions très inquiets. On a fait ce qu'on croyait le plus important : vous rechercher.

Personne ne pouvait contester leur action. Gênées, les sirènes regardèrent le fond de l'eau. Leurs parents adoptifs s'étaient efforcés de les retrouver suite à leur absence prolongée sans motif.

— Qu'allez-vous faire ? se renseigna Mirlane.

— On ne sait pas trop. Demain, on verra, dit Ramon. Je crois qu'il faudrait en discuter avec vos parents. Est-ce que vous restez ici pour ce soir ?

Les sirènes n'avaient pas encore décidé. Elles étaient encore trop assommées par ces informations.

— Ouais, je crois bien, mon oncle, dit Mirlane d'un ton mal assuré.

— Nous n'avons rien d'autre à faire, d'ajouter Sophaline qui admirait ses ongles. Alors, nous restons. Mes ongles sont dans un piteux état, ils ont besoin d'un peu de manucure.

— Vous me le confirmez ? s'assura Ramon.

— Ah ! oui, de répondre en chœur les sirènes, nous restons. Que les océans vous protègent !

Les voyant toutes bien disposées à rester, ils n'avaient pas d'autres choix que de les saluer avant de regagner leur demeure en escaladant les échelles.

— Que les océans vous protègent, répéta Flavie. Demain matin, je vous prépare un bon potage d'écrevisses comme vous les aimez.

— Ah! oui, de répondre en chœur les nymphettes.

— D'accord! sourit Flavie, à demain.

Ils disparurent de leur vue. Aussitôt Sophaline déclara d'un ton enthousiaste :

— Mes ongles, ça peut attendre! Une petite randonnée!?

— Ouais, ce serait trop *cool*, dit Zoé. J'ai envie de visiter l'île. Ça fait des années qu'on n'y a pas mis les pieds.

Lolia, la prudente, déclara :

— Mais nous avons fait une promesse. Nous devons rester. Et puis, la mer est houleuse!

— Oh là là! Que tu peux être casse-pieds avec tes précautions, ironisa Mirlane. Ce n'est pas quelques petites vaguelettes qui nous font peur.

Les autres sirènes rirent et Lolia n'eut aucune autre contre-indication à formuler.

❖ ❖ ❖

Leur père Poséidon Émeraude et son épouse Pélée eurent de nombreux enfants, plus d'une centaine dit-on. Les chicanes étaient fréquentes au sein de la famille. Seules les neuf sirènes se fréquentaient assidûment sans se disputer. Leur passe-temps favori : la chasse aux marins.

C'est ainsi que non loin du rivage de la Terre d'Achille, il existait une grande île appelée l'île aux Brigands entourée d'éperons rocheux. C'est là que nos neuf sirènes aimaient se poster et attendre avec impatience la sortie de ces marins en pleine mer.

Les saillies demandaient une grande habileté pour accoster sur ces côtes. Les habitants de l'île aux Brigands étaient des marins doués qui manœuvraient avec aisance leur embarcation. Là-bas, un sol meuble produisait de la nourriture à satiété. Toutefois, le sous-sol ne regorgeait pas de gemmes, ni de minerai et, sur terre, il y avait peu de plantes pour fabriquer des tissus et peu de gibier. À la recherche d'or, de pierres précieuses et de vêtements, ils visitaient le mont Magma aux flancs bourrés de diamants, une gemme nécessaire pour des échanges commerciaux avec les pays plus au nord du continent Alphard. Mais depuis le dessèchement du territoire, il fallait deux jours de chevauchée pour y aller et autant pour y revenir. Sans aucun point d'eau, cette excursion était de nature périlleuse.

Vivant sur une île, ils n'avaient pas d'autre choix que de voguer en mer pour atteindre d'autres destinations et acquérir d'autres biens. D'ailleurs, à chacun des départs, les habitants hésitaient à dire ce qui les effrayait le plus : le chant des sirènes qui les attirait dans les bas-fonds marins ou l'aridité de la Terre d'Achille.

Mais un autre malheur planait au-dessus des eaux. Au cours des dernières années, un dragon aux ailes bleues fut aperçu dans les parages. Du jamais vu au-dessus de l'océan Diar. Certains des ancêtres racontaient des histoires biscornues concernant des bêtes féroces volant au-dessus de l'océan Brak, mais jamais elles n'avaient survolé le côté ouest du continent Alphard. Ce monstre apparaissait comme ça à quelques rares occasions. D'où venait-il ? Personne ne le savait. Toutefois, on avait constaté qu'il était immense. Ses ailes déployées avaient la même envergure que leur bateau. Ce reptile volant les terrorisait. Et s'il y en avait d'autres ?

De plus en plus craintifs, ils naviguaient par stricte nécessité et nos sirènes s'ennuyaient du nombre peu élevé d'embarcations en mer. La venue de deux enchanteurs avait changé le cours de leur existence. Elles étaient ravies de trouver un refuge si accueillant dans cette grotte. Bien que les neuf sirènes fussent reconnaissantes de l'hospitalité de leur oncle et de leur tante d'adoption, elles se morfondaient profondément. Il y avait peu de navires à attaquer et peu de marins à charmer depuis une cinquantaine d'années.

Ravis de leur intérêt à passer la nuit sous leur demeure, Ramon et Flavie savaient ce qu'ils avaient à faire. S'étant assurés qu'elles resteraient là, ils avaient le champ libre pour se transformer en triton et sirène et ainsi visiter les parents d'Imarène. Le temps était compté. Ils savaient qu'Aqualon était trop impulsif et la vue de deux autres dragons risquait de mettre en péril la vie de la sirène et, peut-être même, des deux autres porteuses. Ils n'avaient pas le choix. Ils décidèrent que la nuit était propice à les rencontrer.

Hélas! C'était bien mal les connaître. Les sirènes n'ont qu'une parole, la leur. Ainsi, la promesse faite ne les engageait pas vis-à-vis leurs hôtes. Seule leur parole comptait, la parole des sirènes et des tritons. Le souvenir de ces pirates naviguant sur les eaux les captivait de plus en plus.

— Et si nous allions les envoûter près du rivage de l'île aux Brigands? s'écria Sophaline. Ils ne viennent plus à nous. Alors, allons vers eux!

— Ah oouuuuiiii, de dire Zoé tout à fait enthousiasmée.

Lolia fut la seconde à céder.

— Oh oui! s'exclama-t-elle en frappant dans la main de Zoé.

Et toutes s'animèrent sauf Bibiane qui grogna et désapprouva. Elle avait amorcé un nouveau roman d'amour. Ses autres sœurs frétillaient et, en deux coups de queue, elles sortirent de la grotte en surveillant bien que Ramon et Flavie ne les voient pas de leur résidence. Dépitée de rester seule et de ne pouvoir poursuivre sa lecture, Bibiane laissa son livre et les suivit par-derrière.

CHAPITRE 5

ΠAGI

Le grand maître Naga était dans ses petits souliers. Il se ressaisit. Son dieu était là pour le protéger. Aussi, il se dit qu'il ne se laisserait pas impressionner par les deux monstres redevenus deux femmes, deux femmelettes ordinaires, deux faibles. Par contre, ses 2 gardes privés et ses 12 hommes de confiance avaient déserté le temple à la vue de 2 dragons. Il était seul avec ce groupe. À la demande du plus jeune, il avait apporté de l'eau comme un simple serviteur aurait fait. La douceur mielleuse de ces mécréants le dégoûtait totalement. Il déposa le bol d'eau par terre. Andrick le prit et nettoya les plaies. Il fit un geste circulaire au-dessus de son pied gravement abîmé. Naga attendit que ce petit morveux le remercie et il le regarda jouer au docteur.

Quelle ne fut pas sa surprise de constater la transformation du pied endommagé en magnifique pied tout pimpant et rose! Lui qui se disait le grand Naga, le grand prêtre-sorcier, lui qui ne pouvait même pas faire lever une tasse vide à un millimètre du sol. Son médecin, Asu, malgré ses connaissances, ne le pouvait pas lui non plus. Ces magiciens qui avaient de si grands pouvoirs étaient probablement en mesure de le neutraliser, voire de le tuer. Il déglutit. Mais n'était-il pas le grand Naga? Il se devait de se montrer le plus grand et le plus fort. Pour cacher son anxiété, il parla d'un ton autoritaire :

— Ah! Vous êtes des magiciens!

— Eux, dit Waldo en désignant Picou, Andrick et Inféra.

Maîtrisant son dédain pour les rats, il n'était pas sûr que Waldo avait bien pointé cette vermine près de la dame rousse.

— Un rat magicien!? s'exclama le grand Naga en transpirant davantage.

— Oui, un rat! railla Picou de sa voix grave, et un authentique rat, ne vous en déplaise, ô grand Naga!

Il faillit défaillir. Un rat qui parle et qui l'insulte. Son visage devint pâle et livide. Malgré sa figure déconfite, les chevaliers du Pentacle se méfiaient de lui, car il conservait beaucoup trop d'aplomb. Aussi, au lieu de lui expliquer les raisons pour lesquelles ce rat parlait, ce qui aurait été une longue histoire remontant à 150 années plus tôt, la troupe préféra s'en abstenir.

— VOUS IGNOREZ À QUI VOUS PARLEZ? nargua-t-il en dressant le thorax et en maintenant sa tête bien droite. JE SUIS…

Ils avaient bien déduit. Il était seul avec eux et se comportait comme un souverain, ce qui fit grincer des dents le jeune enchanteur. Andrick se releva et l'interrompit d'un ton sarcastique :

— À ce que j'ai compris, vous êtes le «Ô grand Naga». Aucun de vos magnifiques serpents ne vous honore et aucun garde ne vous protège. Je serais bien tenté de vous changer en citrouille, mais nous, les magiciens, nous nous servons de la magie strictement en cas d'urgence et non par vengeance.

Tous sourirent et Nergal grimaça. Adora se dressa et fit quelques pas. Elle constata qu'elle n'avait aucune séquelle. La troupe se dirigea vers la sortie. Nergal réagit et fila aux devants d'eux. Il se mit au travers de leur chemin et grogna comme un vieux chien devenu fou. Il hurla :

— ARRÊTEZ-VOUS ICI ! N'AVANCEZ PLUS, C'EST UN ORDRE !

De toute évidence, il ne baissait pas les bras. Bien que moins grand que les Elfes, il fixa froidement, un à un, ces gens venus d'ailleurs qui se moquaient de lui. Qu'à cela ne tienne ! Il les attendait dans le détour. Lorsqu'il se présenterait à ses concitoyens à l'extérieur du temple, ses gardes et ses cobras viendraient l'entourer et le servir. Ce groupe de faux chevaliers ne lui faisait pas peur et chacun d'eux tomberait à ses pieds le suppliant sous la menace mortelle de ses loyaux serpents. D'une voix dramatique, il prononça avec force :

— Je suis Nergal, le maître de la Grande Ville.

Depuis qu'il était le seul avatar, il se glorifiait d'être le maître de la Grande Ville. Les citadins ne s'étant pas objectés à ce titre, il aimait cette prétention et aimait surtout le répéter. Certains sourirent discrètement de ce titre pompeux ; d'autres l'écoutaient avec encore plus de ferveur, le seul avatar en qui ils confiaient tous leurs espoirs.

— Je suis l'avatar du dieu du Soleil, poursuivit-il. Sous moi, il y a Asu, un grand médecin. Au-dessus de moi, il y a l'ABSOLU, le maître du Soleil et de la Lune. Mais depuis de nombreuses années, Ashia, la prêtresse du temple de la déesse de la Lune n'exerce plus sa pratique de médecine par les plantes. De même que la lune ne brille plus sur la Terre d'Achille, celle qui réglait les marées et la pluie. Ainsi, les nuages passent sans déverser leurs eaux. Vous pouvez vous montrer insolents, mais j'impose sur ce territoire le respect et la paix par mes puissants rayons.

Comme la troupe s'était arrêtée et l'écoutait avec attention, il prit confiance. Il se balada devant eux en les regardant droit dans les yeux comme un aigle cherchant à détecter parmi eux une proie faible pour la saisir par la suite. Il gloussait de plaisir :

— Et c'est bien ainsi ! Plus de voleurs ou presque pas. Ils meurent sur ce sol aride avant d'atteindre leur navire ou nos terres. Plus de pluie. Plus de voleurs. Je suis le seul avatar adoré et aimé de mon peuple. La déesse de la Lune n'est plus dans la course. Bientôt, je serai l'avatar de l'Absolu, ce n'est qu'une question de temps. Le peuple saura me reconnaître. Ha ! Ha ! Ha ! Ha ! ricana-t-il en élevant les bras vers le ciel.

» Plus personne ne sera tenté de prier Nagi, l'avatar de la déesse de la Lune, poursuivit-il en abaissant les bras et en les fixant. Depuis qu'elle a perdu son diamant bleu en forme de larme, elle n'existe plus. Ha ! Ha ! Ha ! Ha ! Un voleur s'en est emparé. Une légende dit que ce diamant est maudit et que celui qui le porte ne le détiendra que quelque temps. Pauvre lui ! La malédiction l'a frappé. Il est mort quelques jours plus tard. Sans le vouloir, il m'a rendu un fier service. Depuis ce jour, nul n'a retrouvé ce diamant. Bien sûr, ce n'est qu'une légende qu'on colporte.

— Oui, j'ai remarqué cette disparition de la lune, dit Arméranda, ainsi que les nuages qui ne faisaient que passer. Mais, est-ce qu'il se pourrait que ces conditions défavorisent votre peuple à la longue ? Maintenir la population avec si peu d'eau et de vivres, n'est-ce pas courir à votre perte ?

Totalement éberlué par les propos de cette fille qui avait coupé court à son

monologue, Nergal se raidit. Après quelques
secondes sous l'effet assommant de la
réflexion de la jeune cavalière, il ne répondit
pas à sa question. Il préféra la terroriser, si
c'était possible. Il hurla :

— VOUS M'AVEZ INTERROMPU, SALE
ENFANT. VOUS N'AVEZ DONC PAS
COMPRIS QUI JE SUIS ? JE SUIS LE GRAND
NAGA, L'AVATAR DU DIEU DU SOLEIL,
NOTRE PROTECTEUR, NOTRE ESSENCE
ET TOI, TU N'ES QU'UNE VERMINE
VENUE D'AILLEURS COMME VOTRE
SALE RAT QUI SE TIENT AUPRÈS DE TOI !

Arméranda, qui était la patience même,
faillit se fâcher. Adora et Inféra grondèrent.
Il sursauta et comprit qu'il n'était plus le
maître de grand-chose avec ces deux porteuses de dragon dans les environs.
Toutefois, il ne voulait pas céder à la panique.
La bouche en cul de poule, il respirait fort.

— Pourquoi, grand Maître, ne pas nous
aborder simplement ? demanda poliment
Waldo.

— PARCE QUE VOUS ÊTES DES VAN-
DALES, DES VOLEURS ET DES DES-
TRUCTEURS DE TEMPLE ? VOILÀ !
explosa-t-il.

— Nous n'avons jamais désiré vous causer des ennuis. Nous cherchons tout simplement notre chemin pour retrouver le troisième dragon, dit Nina.

— Tiens, donc! Le dragon d'eau, dit-il d'une voix mielleuse.

— Oui, c'est ça! s'exclama Andrick. Vous l'avez vu?

— VOUS VOUS FOUTEZ DE MA TÊTE? LE DRAGON D'EAU N'EST PAS ICI, IL EST LE LONG DU LITTORAL, PRÈS DE LA MER! tonitrua-t-il. UN DRAGON D'EAU, OH! OH! ÇA NE VA PAS DANS VOS CABOCHES? CE N'EST PAS UN DRAGON DE DÉSERT.

Arméranda comprit alors ce que la boussole avait essayé de lui dire les premiers jours de leur arrivée : de rester près du littoral. En entendant parler du dragon d'eau, Inféra et Adora sentirent une nouvelle excitation chez leur dragon. Ne voulant pas leur venue à nouveau, elles prirent de grandes respirations et la troupe comprit qu'il était temps de sortir de ce temple. Ils passèrent à côté de Nergal en deux rangées distinctes. Se sentant seul et abandonné, il s'énerva. Il trépigna comme un enfant en bas âge et cria :

— REVENEZ, BANDE DE LÂCHES! QUI VA RÉPARER MON TEMPLE, MÉCRÉANTS? REVENEZ ICI! JE VOUS L'ORDONNE!

Les chevaliers du Pentacle traversèrent l'entrée. Nergal se ressaisit et courut. Arrivé dehors, il les devança, histoire de paraître le maître de la situation devant ses concitoyens. Sa vanité l'empêchait de s'apercevoir que son peuple réuni à l'entrée du temple n'était pas là pour lui. Il ne vit pas au premier coup d'œil que les yeux de tous ces gens étaient tournés vers la troupe venue d'ailleurs.

Les chevaliers découvrirent pour la première fois la ville de Nagal. À 10 h du matin, la chaleur était déjà insupportable. Le soleil dardait le sol de ses puissants rayons et un paysage sans verdure les éblouissait. Adora faillit défaillir sous cette lumière abondante. Elle ferma les yeux un instant et les ouvrit à demi. Les autres eurent le réflexe de porter leur main en visière pour créer une ombre, quoique ténue. Ils furent impressionnés par cet attroupement encore visiblement marqué par un réveil brutal. Tirés de leur sommeil et intrigués par les terribles bruits assourdissants de la chute des pierres et par les cris inhumains et monstrueux d'animaux inconnus d'eux, ils s'étaient rassemblés autour du temple du Soleil.

D'un teint basané, ils portaient des tuniques d'un blanc douteux et des sandales usées à la corde. Leur maigreur était perceptible sous leurs vêtements déchirés. Ce peuple était affamé depuis de nombreuses années et survivait dans ces lieux hostiles. Ils comprirent l'ampleur de leur violation de la seule oasis, leur garde-manger situé à quelques kilomètres de la cité.

Au-delà de l'attroupement, des milliers de maisons en pierre rosâtre étaient disposées de façon très serrée le long de ruelles. Quelques fanions rouges, bleus et jaunes ajoutaient de la couleur dans ce paysage monochrome. Derrière eux, trois grandes pyramides étaient érigées, aux dimensions différentes.

Autrefois, les Nagaliens priaient trois divinités. La déesse de la Lune le samedi, le dieu du Soleil le dimanche et le dieu de l'Absolu le lundi. La plus grande pyramide, celle de l'Absolu, était au centre et légèrement en retrait par rapport aux deux autres. Un œil était sculpté au-dessus de la porte comme pour dire : « JE SUIS LÀ POUR VOUS

ET JE VEILLE SUR VOUS». Depuis bien des années, les temples du dieu de l'Absolu et celui de la déesse de la Lune n'étaient guère visités par les dévots. Seul le temple du dieu du Soleil était envahi chaque dimanche soir par ses fidèles. Nergal les avait convertis à un seul dieu puisque la lune n'était plus un astre visible au firmament. Cependant, il ignorait que le culte à la déesse n'était pas mort. Un petit groupe de loyaux fervents la priait toujours, espérant qu'elle brille de nouveau au firmament et qu'elle apporte l'eau, cet élément si vital à la vie.

À la vue de ces étrangers bien portants et bien habillés, les gens crièrent :

— Nagi, Nagi, Nagi.

Ils restèrent sur place ne sachant quoi faire. Que signifiait ce mot, Nagi : la prison, la pendaison ou un supplice quelconque ? Ils étaient sur leur garde et les trois enchanteurs étaient prêts à réagir au moindre mouvement d'assaut.

— Tu es prêt ? dit Nina.

— Oui, répondit Andrick. Et toi, Picou ?

Caché dans une des sacoches de Nina, il murmura un faible oui pour ne pas qu'un des leurs ne le saisisse et le tue.

— Quel sortilège avant qu'ils nous exterminent ?

— L'endormissement, un enchantement pas trop dur et très efficace, chuchota à nouveau Picou.

— Mais non, chuchota Waldo, vous n'y êtes pas du tout. Nagi est l'avatar de la déesse de la Lune.

— Ah oui ! dit Andrick en se détendant. Les avatars Nagi et Naga.

Mais était-ce une bonne chose que le peuple les prenne pour une Nagi ?

CHAPITRE 6

LA RÉVÉLATION

Après une bonne heure de natation dans l'océan Diar, Ramon et Flavie arrivèrent au royaume des sirènes et des tritons. Le château de la famille Émeraude existait depuis de nombreuses générations et depuis des millions d'années. Ceux-ci vivent 29 600 ans, pas un jour de plus, ni un de moins. À moins d'être capturés par des pirates ou des marins. Lors de ces malheureux incidents, le sort en était jeté. Ils ou elles mouraient au bout de trois mois consécutifs hors de l'eau saline et leurs corps se liquéfiaient peu à peu en écume.

Le château était situé à l'une des six pointes d'un hexagone. Cette cité aquatique comprenait six châteaux représentant chacune des six dynasties : Diamant, Lapis-lazuli, Perle, Rubis, Saphir et Émeraude. Chaque résidence royale constituait une cellule familiale. De nombreuses alvéoles d'habitation étaient construites aux abords de cette cellule maîtresse. Les neuf sirènes, dont Imarène faisait partie, étaient les filles de Poséidon Émeraude. Pour différencier les familles, les enfants au nombre d'environ 200 et 250 portaient des colliers avec la pierre correspondant à leur dynastie. Ainsi, la dynastie de la royauté Diamant portait un collier orné d'un diamant, les enfants de la dynastie Lapis-lazuli portaient cette pierre fine à leur cou, la dynastie de la perle portait un collier de perles et ainsi de suite.

Les bâtiments étaient construits en pierres grises recouvertes d'algues et de mousses verdâtres et bleutées. De nombreuses insertions de coquillages, de coraux, de pierres brillantes et de verres colorés décoraient richement l'intérieur des résidences. À l'extérieur, les seules décorations précieuses étaient situées au pourtour de la grande porte d'entrée. Ainsi, le château Émeraude était orné de quelques émeraudes, le château Diamant, de diamants, et cetera. Aucune autre pierre précieuse n'ornait l'extérieur pour éviter toute convoitise des humains.

Malgré tout, certains pirates très audacieux et très bons nageurs avaient réussi à pénétrer et à extraire ces pierres à l'aide de pics. D'autres plus astucieux avaient inséré des crochets et, grâce à un système de cordages et de poulies, avaient arraché des pans de murs. Bien que les bâtiments fussent restaurés, des traces des assauts étaient encore visibles. De grandes fissures lézardaient l'enveloppe externe et exigeaient un entretien suivi à ces endroits.

À Océanie, la vie était facile dans cette ville submergée. Une nourriture copieuse foisonnait dans les environs. On se la coulait douce. Aucune friction entre les diverses familles. Les gens se côtoyaient et se respectaient. Advenant un incident, tous se faisaient un devoir d'aider une sirène ou un triton en difficulté.

Lorsqu'ils virent arriver Ramon et Flavie, les tritons et les sirènes partirent à rire. Il y avait de quoi. Ramon avait une chevelure couleur poils de carotte et Flavie, une chevelure blond roux comme sa fille Inféra, tandis que les habitants de la cité avaient des cheveux laiteux, ivoire, blond lichen, vert bouteille, malachite, algue-marine, bleu outre-mer, turquin, mais jamais roux, ni noirs. Poséidon, à la barbe et aux cheveux blanc de céruse, jouait une partie de tennis de table avec un de ses fils. Il tenait une grosse coquille qui faisait office de raquette. Par leur forme, ces raquettes projetaient la balle dans des directions inattendues. Il fallait une grande agilité pour rattraper ces balles aux rebonds imprévisibles. Le roi était reconnaissable avec sa couronne dorée ornée d'émeraudes et, dès qu'il vit les deux visiteurs, il interrompit son jeu et s'avança vers eux.

Il était toujours heureux de rencontrer les citoyens d'Océanie, mais ces deux-là ne venaient pas de sa cité. Aussi, il ne sut pas trop comment les interpeller.

— Que les océans vous protègent, braves citoyens, hum… je veux dire braves… gens. Oui, c'est ça, braves gens. Avez-vous fait bon voyage, braves gens ?

Ramon et Flavie ne se rappelaient plus s'il fallait s'incliner, faire une génuflexion ou tout simplement rien. Comme tous les deux flottaient dans l'eau et ne touchaient pas le sol, ils se dirent qu'un petit salut de la tête devait être approprié comme formule de bienvenue. Ramon prit la parole :

— Que les océans vous protègent, Sa Majesté Poséidon Émeraude ! Nous avons fait un bon voyage !

— Grand bien vous fasse !

— Désolée d'interrompre, Sa Majesté, votre partie de ping-pong, se désola Flavie.

— Oh, ce n'est rien ! J'ai amplement le temps durant la journée de me dégourdir le poignet avec mes fils. Ce qui importe le plus, ce sont mes filles et nous sommes toujours heureux de rencontrer leurs protecteurs.

— Oui, dit Flavie. Nous sommes flattés de votre reconnaissance, Sa Majesté Émeraude. Toutefois, nous nous inquiétons pour l'une d'elles.

— Imarène ? suggéra-t-il.

— Oui, Majesté, répondit Ramon. Il s'agit bien d'elle.

Un pli soucieux se dessina sur son front. Sa gaffeuse de fille avait dû faire une autre bêtise.

— Oh! Dans ce cas, veuillez me suivre dans ma salle personnelle.

Une fois dans le cabinet personnel du roi en compagnie de sa conjointe Pélée, Ramon et Flavie leur expliquèrent que le temps de libérer le dragon Aqualon d'Imarène arrivait à grands pas et, qu'en même temps, le risque d'une catastrophe se pointait. Flavie expliqua :

— Eh bien, si je me fie à mes cours en dragonlogie qui datent de 200 ans, les dragons d'eau n'aiment pas les dragons de feu. Ma fille est porteuse d'un dragon de feu et Imarène, d'un dragon d'eau. Comme vous le savez, le feu et l'eau ne font pas bon ménage. L'eau éteint le feu et le feu fait évaporer l'eau. Je crains le pire. Une discorde se crée et s'envenime au point de vouloir…

— Ah, je vois! Vous craignez qu'un veuille tuer l'autre.

— Je ne peux pas me prononcer dans l'affirmative, mais la probabilité est forte. De plus, le dragon de terre a de grandes affinités avec celui de l'eau. Il risque de s'établir une belle camaraderie et une grande complicité entre eux tandis que celui du feu verra d'un mauvais œil cette amitié. Le dragon de feu aime lui aussi la compagnie du dragon de terre. Il risque de vouloir s'interposer et le pire peut survenir. Le fameux triangle amoureux, vous comprenez?

— Ah! Je vois, répéta le roi feignant une sincérité authentique.

— À Dorado, avant l'Événement qui a décimé toutes ces fabuleuses bêtes, poursuivit la fée devenue temporairement sirène, chaque type de dragons avait un territoire particulier. Les dragons de feu vivaient au sud-ouest du territoire, au domaine du Dragroux, ceux de l'eau, au domaine des Charmes au sud-est, les dragons de la terre, aux domaines Verdôme et Pomrond, les dragons de l'air, au lac Cristal et enfin le dragon de l'acier, au domaine des Forges. Chaque domaine avait ses dragons et ses armoiries. Tout était en équilibre. Il y avait bien quelques confrontations aux frontières, mais elles ne duraient pas. Chacun restait à sa place, dans son territoire. Nous avions l'habitude de dire : «chaque dragon à sa place, une place pour chaque dragon.» Vous comprenez?

Poséidon et Pélée acquiescèrent en hochant la tête, sans trop comprendre le niveau d'amour et de haine entre les différentes espèces de dragons.

— Au Dorado, les dragons blancs étaient les plus puissants et nous les appelions les dragons d'acier, poursuivit Flavie. Mon peuple est convaincu que le matériau le plus résistant reste l'acier parmi la panoplie de métaux connus. Grâce aux connaissances des habitants du domaine des Forges, ils ont appris à combiner deux minerais : le fer et le charbon. Dans de hauts fourneaux, les minerais étaient chauffés. Pourtant, dans tout bon manuel de dragonlogie, il était clair que le diamant était plus résistant que l'acier. Aussi, le dragon blanc portait-il différents noms : le dragon de l'acier, du diamant, de l'éther ou de la quintessence. Les grands érudits ne s'accordaient pas sur le sujet. Même la Grande Académie des dragonlogistes a écrit des papiers et… des papiers sur le sujet sans pouvoir se mettre d'accord. Depuis la disparition des dragons, ce sujet était tombé aux oubliettes et à Dorado, le dragon blanc sera toujours appelé le dragon de l'acier.

— Je comprends, dit pensivement Poséidon qui commençait à avoir un sérieux mal de tête avec ces explications à l'emporte-pièce.

— Je vois que je vous ennuie, Sa Majesté.

— Non, non, mentit-il.

Pélée sauva ce moment embarrassant en demandant :

— Que pouvons-nous y faire ?

— Il faudrait la surveiller de près lors de ses déplacements pour qu'elle économise ses forces et qu'elle se transforme le moins possible en dragon, dit Ramon. Nous, nous ne pouvons assumer ce rôle puisqu'il faudrait nous transformer trop souvent, moi en triton et ma conjointe en sirène. La magie a ses limites.

— Mais comment ? Nous n'avons pas le contrôle absolu de nos 208 enfants, dit Pélée. Nous les laissons libres de faire ce qu'ils veulent dans les limites du raisonnable.

— J'ai ouï-dire que votre trident a... hum... hésita Ramon, une certaine capacité d'engourdissement.

— En effet, mais je l'utilise rarement, contrairement à certains de mes collègues royaux, entre autres le roi Diamant pour ne pas le nommer. Il l'utilise à profusion pour discipliner ses enfants, ce qui est hors de mes convictions, vous savez ! Ce sont des petites décharges électriques, mais quand même, il ne faut pas en abuser!

— Je respecte vos convictions, agréa Ramon, mais ce n'est pas pour la discipliner, mais bien pour la protéger. Elle ne contrôle plus aussi bien son dragon et si jamais ma fille, que je n'ai pas vue depuis 150 ans, est elle aussi dans cette situation de non-contrôle de son dragon, nous volons vers la catastrophe. Les dragons se batailleront et nos chères filles risquent de mourir.

— Je comprends, répéta Poséidon, pas trop sûr de toute cette théorie. Je dois la calmer pour ainsi dire pour qu'elle cesse d'exhiber son Aqualon.

— C'est exactement ça! dit Flavie.

— Dans ce cas, elle doit revenir avec ses sœurs ici, au domaine familial, dit Pélée.

Les deux enchanteurs demeurèrent silencieux.

— Y a-t-il un problème? demanda le paternel.

— Oui, c'est l'idéal! Toutefois, il semble que vos neuf filles n'aiment pas l'ambiance familiale et le comportement odieux de certains de leurs frères, expliqua Flavie avec tact. Il faudrait trouver une astuce pour qu'elles reviennent vers vous.

Poséidon rit et regarda avec satisfaction sa conjointe.

— J'ai la solution! Je vais organiser une fête! Ça fait des années que je n'ai pas festoyé. Dites-leur que nous organisons un grand bal avec plein de hors-d'œuvre, de homards et qu'il y aura du champagne à profusion. Je vais inviter tous les plus beaux et charmants tritons d'Océanie et même de Coralie. Il y aura même un concours de chevauchée d'hippocampes. Imarène et Ariane adorent monter sur ces chevaux de mer.

Son enthousiasme les convainquit que les sirènes seraient enchantées de cette invitation et n'hésiteraient pas à revenir au bercail. Elles retrouveraient leurs amis et leur famille dans une atmosphère festive plutôt que punitive.

— Nous leur dirons, dit Ramon ravi. Que les océans vous protègent!

— Ça va me changer de mes parties de ping-pong, blagua Poséidon.

L'idée d'organiser ce bal le réjouissait. Il se frotta les mains. Il avait un tas de choses à faire, surtout installer beaucoup de décorations afin que l'événement soit grandiose et réussi.

— Votre visite m'a fait beaucoup de bien. Je suis tout à fait enthousiasmé à préparer ce bal. Encore une fois, que les océans vous protègent !

Ramon et Flavie partirent le cœur léger.

CHAPITRE 7

LE PEUPLE NAGALIEN

L e bruit courait que des dragons étaient dans les parages. Tout le peuple nagalien s'était rendu au temple du grand Naga du dieu du Soleil. La grande ville comprenait un peu plus de 3 000 âmes et ils se tenaient tous là, à l'entrée du bâtiment. La population était composée de quelques vieux et de nombreux enfants. L'âge moyen s'établissait dans la trentaine. Cette chaleur accablante et la rareté de la nourriture les affaiblissaient et beaucoup d'entre eux mouraient dans la vingtaine. Même les enfants avaient une peau desséchée. Habillés de tuniques déchirées, certains portaient des sandales avachies et d'autres étaient pieds nus. Ces survivants du désert aspiraient à une vie meilleure et c'est avec des yeux pleins d'espoir qu'ils dévisageaient les trois belles demoiselles aux visages parfaits et aux corps bien en chair.

Ils tombèrent à genoux, croyant à la vision de divinités. Adora, dans une élégante robe bleue et jaune, tenait son bras replié. Son amoureux, Waldo, avait superposé sa main sur la sienne. Cette Elfe aux oreilles légèrement effilées et au teint vert bronze inspirait le respect. Nina, une fée aux ailes iridescentes d'un vert bleuté, aux yeux d'un bleu clair et à la chevelure couleur de blé, toute jeune et toute frêle, resplendissait de bonheur et de jeunesse dans sa tunique blanche et son bénard bleu paon tout propre et sans déchirure. Inféra, une dame au teint pâle, aux yeux vert émeraude et aux cheveux roux chatoyants et abondants, étincelait sous ce soleil de plomb. Sa chevelure brillait comme de jolis fils de cuivre. Sa jolie robe verte et ocre en soie contrastait avec sa peau diaphane. Seule Arméranda ne semblait pas les enthousiasmer, malgré des yeux turquoise magnifiques et sa démarche féline, son teint caramel et ses cheveux tressés de couleur foncée. Ses traits se comparaient à eux. Les trois autres demoiselles avaient une carnation très différente des Nagaliens, surtout la rousse au teint de pêche prête à être cueillie.

Nergal vit son peuple s'agenouiller en direction de ces dames, joindre les mains et fermer les yeux en scandant le mot Nagi. En les entendant proclamer un nouvel avatar, il s'agita et cria :

— BANDE DE CRÉTINS, CE SONT DES INCULTES. ILS ONT DÉTRUIT VOTRE TEMPLE. CE SONT DES DÉMONS CRACHANT DU FEU ET SOULEVANT DES PIERRES. ILS SONT VENUS D'AILLEURS POUR VOUS TENTER. CES DÉMONS VEULENT VOTRE ÂME. ILS SONT VENUS VOUS DÉTOURNER DE MOI ET DU DROIT CHEMIN. NE LES ÉCOUTEZ PAS. C'EST MOI, VOTRE AVATAR DU DIEU DU SOLEIL TOUT PUISSANT. JE SUIS VOTRE MAÎTRE, LE SEUL QUE VOUS DEVEZ ADORER, PAS EUX !

Les jumeaux eurent un mouvement de révolte en entendant les propos de ce grand Naga. Il injuriait ces gens qui lui démontraient leur confiance et leur piété.

Contrairement à Dorado où les hobereaux et les enchanteurs étaient sur un pied d'égalité, ici, il existait des divinités, des avatars, des gardes et des cobras disciplinaires. Les gens du peuple étaient perçus par Nergal comme des êtres sans valeur ayant besoin d'un dieu comme un handicapé ayant besoin de béquilles pour marcher. Les chevaliers du Pentacle durent ravaler leur sentiment d'injustice et observer la suite des événements.

Nergal continua à déblatérer. Il avait beau hurler, sauter, transpirer, médire, les menacer des pires maux de la terre ; le peuple ne bougea pas d'un iota. Désespéré de leur inertie, il cria à ses gardes qu'il ne voyait pas :

— APPORTEZ-MOI MON CHAR QUE JE PUISSE PARADER DANS MA VILLE !

Il était sûr que ses 12 soldats accourraient vers lui. Il attendit. Il n'entendit aucun mouvement dans la foule. Rien. Un silence parfait. Il comprit qu'il se passait quelque chose. Ses loyaux soldats lui désobéissaient. À ses yeux, c'était inacceptable. Il ragea et sa colère augmenta en voyant son peuple plié et la tête collée au sol en direction de ces dames, au lieu de l'acclamer lui.

Ah! Comme il aimait se parader chaque dimanche dans son luxueux char, un cabriolet orné d'or et d'argent tiré par six magnifiques et énormes chevaux noirs aux yeux rouges, des stratos. Chaque garde tenait chacun d'eux par le mors. Trois autres gardes ouvraient la marche et trois autres la fermaient. Le défilé était magnifique et les gens l'applaudissaient lors de son passage.

Au lieu de cela, personne. Pas de char, pas de stratos, ni même de pages avec des ombrelles pour le soustraire aux rayons ardents du soleil. Il les regarda avec mépris. Lorsque le peuple se releva, son visage se radoucit et il s'écria :

— Enfin, ce n'est pas trop tôt! SUR-TOUT, NE LES ÉCOUTEZ PAS! Chaque parole entendue vous entraînera vers les entrailles de la Terre où la lave de Magma vous réduira en poussière pour l'éternité. PEUPLE NAGALIEN, VOUS ÊTES UN TRÈS GRAND PEUPLE. LE PARADIS VOUS ATTEND DANS CE CIEL SI BLEU ET NON DANS LES FLAMMES INCESSANTES DE L'ENFER, DU VOLCAN MAGMA OÙ LÀ, LES SOUFFRANCES SONT PERPÉ-TUELLES. PEUPLE, JE VOUS PARDONNE POUR CE MOMENT DE DISTRACTION.

QU'ON M'AMÈNE MON CHAR ET
J'OUBLIERAI CE PETIT MANQUEMENT. À
MON PASSAGE, JE VOUS BÉNIRAI.
ALLONS, MON PEUPLE, ACCLAMEZ-MOI !

Il prit une position digne : tête relevée et
tenant de sa main gauche un pan de sa cape.
Il attendit que son char arrive, car Nergal, dit
Naga, l'avatar du dieu du Soleil, ne foulait
jamais le sol de ses propres pieds. Encore là,
personne ne réagit et pas un de ses gardes ne
se présenta à lui.

C'est alors que Purnima, dite Nagi,
l'avatar de la déesse de la Lune s'approcha de
lui. En la voyant, il pouffa de rire. Il prit une
mine de dégoût en direction de cette femme
mince portant son troisième enfant et
habillée d'une robe trouée qui avait connu
de meilleurs jours. Nergal la dévisagea avec
mépris de la tête aux pieds pour qu'elle soit
gênée de son accoutrement piteux et qu'elle
retourne dans la foule. Il était celui qui avait
ordonné au peuple de ne plus prier la Nagi
au risque d'être châtié. Ce peuple aurait dû
l'empêcher de s'avancer, mais non, il ne faisait rien. Lui qui désirait qu'un jour la foule
le consacre comme le plus grand avatar,
l'avatar de l'Absolu. Mais ce jour ne semblait
pas encore arrivé.

Dans les années qui avaient suivi l'absence de la pluie, des terres incultes près du volcan Magma avaient pris de l'ampleur. Un désert était né et il s'agrandissait de jour en jour comme une tache de vin sur une nappe blanche. Ce monstre aride avançait et dévorait sans discernement la végétation et les humains, ne laissant qu'un sable rouge et fin sur son passage. Les villes, les villages et les bourgs, si prospères autrefois, étaient tombés les uns après les autres sous ses mâchoires anémiantes et létales. Une seule ville avait réussi à contrecarrer cette sécheresse. C'était Nagal.

Autrefois, c'était une immense aire de verdure d'une centaine de kilomètres de large possédant de nombreux points d'eau. Les dattiers et les palmiers y poussaient alors en abondance. Cependant, une à une, les sources d'eau se sont taries à un point tel qu'un seul lieu maintenant possédait des réserves à quelques kilomètres des habitations. Cette oasis n'était plus qu'un petit terrain de verdure où des corvées se faisaient la nuit pour y puiser l'eau et y cueillir la nourriture. Le manque de pluie risquait de provoquer sa disparition complète d'ici une décennie.

Ce fait ne dérangeait nullement Nergal, qui était convaincu de sa notoriété et de sa puissance. Il prévoyait assassiner très bientôt cette Nagi et tous les membres de sa famille à l'aide d'une potion secrète qu'il conservait précieusement chez lui. Ce n'était qu'une question de temps. La vue de cette femme le fit rigoler.

— Ma pauvre Purnima, te voilà rendue bien basse. Tu rampes à mes pieds comme un vulgaire serpent et tu portes en toi la malédiction. Tes enfants ne seront jamais l'avatar de ta déesse puisqu'elle a foutu le camp.

Il partit à rire. Au lieu de se choquer, Purnima redressa la tête et lui dit froidement :

— Et toi, cher Naga, tu es trop imbécile pour ne pas reconnaître que ton temple est à présent en partie détruit et que personne ne t'honore en ce moment même. Tes cobras royaux et tes gardes ont fui, toi qui ne jures que par ces cobras pour faire régner la paix et la justice. Même ton prêtre médecin n'est pas auprès de toi. Ton orgueil te rend aveugle et sourd. Tu n'entends pas la voix de la révolte. Le peuple a soif et a faim depuis des années. En affaiblissant notre déesse, ô grand Naga, tu t'es affaibli. N'entends-tu pas la haine gronder? Le peuple est à deux doigts de détruire le reste de ton temple et d'honorer uniquement l'Absolu.

Il la fixa avec horreur. Il prit une mine offensée, car elle venait de l'accuser devant ses fidèles du déclin de la déesse de la Lune ainsi que de son propre déclin. Raison ou pas, il se gardait bien de gaspiller sa salive par une savante répartie sanglante. Il préféra rire. Il se dit : «Sa déchéance la rend pathétique. Elle est trop mignonne. Sa clairvoyance ne vaut même pas un bout de pain. Si elle pense me faire peur avec un petit problème de soif et de faim du peuple, elle se trompe. Elle est minable, aussi minable qu'une vadrouille trempée dans l'eau sale.» Pourtant, il ne voyait que ce qu'il voulait bien voir. Purnima conservait toute sa beauté et rayonnait d'une puissance lumineuse, même depuis la disparition du diamant bleu.

— Eh bien, je ne te donnais que quelques années de vie et tu es encore là. Je me demande bien pourquoi. Ton temple s'est rempli de sable et ta statue si digne est renversée. Le diamant bleu n'est plus là au front de ta déesse. Depuis sa disparition, il ne pleut plus et la lune ne luit plus.

Waldo comprit que le diamant qu'il avait en sa possession était peut-être celui qui correspondait à celui disparu.

— Ma pauvre Purnima, tu es en déclin. CE N'EST QU'UNE QUESTION DE JOURS, cria-t-il. D'ICI PEU, TU N'EXISTERAS PLUS. ET MOI, JE SUIS CELUI QUE TU DOIS HONORER. Tu connais sûrement le châtiment qui t'attend. Jusqu'à ce jour, j'ai été trop clément. Tu me connais, envers les femmes, je suis courtois. Mais cette fois-ci, TU AS ATTEINT MA LIMITE. ATTENDS-TOI AU PIRE !

Au lieu de la faire trembler de peur, elle riposta :

— Eh bien, nous nettoierons notre temple et nous redresserons la statue. Quoi que tu en penses, la déesse de la Lune est bien vivante. Elle rayonne au-dessus de nous.

À ces paroles, le peuple applaudit. Nergal grinça des dents, mais son orgueil l'empêchait de voir sa propre décadence. Il se gonfla les poumons et reprit sa pose.

— Pathétique, c'est pathétique ! siffla-t-il. LA LUNE NE BRILLE PLUS, ELLE EST MORTE.

Un des gardes en retrait au centre de la foule chuchota aux personnes près de lui des paroles incroyables :

— Les deux jolies dames drapées de vêtements de soie sont des divinités puissantes, elles ont le pouvoir de se métamorphoser en dragon. Elles ont une force herculéenne et le pouvoir de cracher du feu.

Ces paroles allèrent d'une oreille à l'autre. Ce fut comme une traînée de poudre. Chacun répéta les propos du garde en frémissant et en ayant un léger mouvement de recul.

Un à un, les gardes s'avancèrent. Nergal jubilait.

— Enfin, vous voici ! Ce n'est pas trop tôt, j'étais sur le point de vous remettre à l'ordre.

Coup de théâtre, au lieu de marcher vers lui, ils s'agenouillèrent devant ces dames.

— INFAMIE. VOUS DÉSHONOREZ VOTRE MAÎTRE. MON DIEU SAURA VOUS INFLIGER UNE PUNITION DES PLUS CRUELLES. N'ATTENDEZ PAS DE MOI QUE JE LE SUPPLIE D'ARRÊTER TOUT SUPPLICE INFLIGÉ !

Les gardes ne semblaient pas impressionnés par les menaces de leur avatar. Ils ne daignèrent même pas le regarder. Les gens se rapprochèrent. Les chevaliers du Pentacle ne savaient que faire. Ils étaient entre deux feux. Sans arme, ils attendaient le déroulement de la confrontation entre Nergal et Purnima. Ils appréhendaient le pire : un soulèvement de la foule. Ce fut l'AUMMM d'approbation pour l'adoption de ces deux déesses qui les surprit. Tout se déroulait avec calme et civilité.

En entendant la syllabe sacrée, le grand Naga trépigna de rage.

— POURQUOI VOUS TOURNEZ-VOUS ENCORE VERS CES BARBARES ? hurla Nergal. C'est moi le seul représentant de L'ABSOLU. Je suis l'avatar du dieu du Soleil, LE SEUL AVATAR QUI RESTE !

Un homme dans la trentaine fendit la foule, s'approcha de lui et dit :

— Plusieurs avatars du dieu du Soleil et prêtres sorciers sont morts. Ils nous ont tous promis une meilleure prospérité. Il n'en est rien. Au contraire, nos terres sont de plus en plus arides et la température, plus accablante. La seule oasis que nous avons diminue d'année en année. Notre survie dépend de la déesse de la Lune. Lorsqu'elle brillera à nouveau au firmament, la pluie reviendra et la terre redeviendra féconde. Le blé ondulera sur nos terres et nous pourrons manger à notre faim. Les fleurs parfumeront et décoreront à nouveau nos tables. Les abeilles reviendront et nous dégusterons des gâteaux de miel et la cire embaumera les résidences.

Puis, il s'adressa à la troupe des chevaliers du Pentacle et s'inclina :

— Je m'appelle Kavin. Ne craignez rien ! Vous êtes une bénédiction. Une prophétie dit qu'un groupe de sept individus viendra restaurer le culte de la Lune.

— QUE D'IDIOTIES ! interrompit Nergal en ricanant. Vous voyez bien, ils ne sont que six !

— Nous sommes sept, dit une voix grave provenant du groupe.

Le rat qui avait effrayé Nergal sortit sa tête de la poche du gilet d'Arméranda. Tout le peuple recula en apercevant cette vermine qui parlait. Certains apeurés crièrent et se collèrent contre leur voisin. Les rats, les souris et toute autre faune parasitaire similaire n'étaient pas les bienvenus sur cette terre à l'équilibre précaire au plan alimentaire. Ils pouvaient dévorer et contaminer les réserves nourricières.

— N'ayez crainte, dit Arméranda. C'est Picou, notre compagnon!

Elle le souleva de sa main droite et lui caressa la tête. Il était vêtu d'une tunique rouge et il se dressait fièrement sur ses pattes arrière. Son élégance rassura le peuple qui s'inclina vers lui, vers un rat qui parlait.

— Je suis le compagnon d'Inféra, dit-il en pointant sa compagne de vie.

Le peuple fut ravi. C'était un signe du ciel. Le rat avait choisi celle qui devait représenter la déesse de la Lune. Il y eut des applaudissements de la foule. Les chevaliers du Pentacle ne comprirent pas ce qui se passait. Les gens se rapprochèrent d'eux. Le peuple était convaincu que l'Absolu s'était métamorphosé en rat pour leur transmettre un message. Purnima marcha vers celle que le ciel venait de choisir. Ensuite, elle fit face au rassemblement et s'écria:

— VOICI NOTRE NOUVEL AVATAR, NOTRE NAGI.

Tous s'agenouillèrent et émirent un autre AUMMM d'approbation. Treize jeunes hommes représentant le cycle des treize pleines lunes annuelles fendirent la foule. Habillés d'une toge blanche et portant un bandeau bleu au front brodé d'une lune blanche, ils soutenaient au-dessus de leur tête un immense disque en argent. Ils s'inclinèrent à ses pieds. Inféra les regarda poser cet objet au sol et se demanda ce qui se passait. Ils retournèrent le disque. De l'autre côté, un tissu bleu moelleux faisait office de tapis qui empêchait d'être en contact avec une surface métallique chaude et ainsi de se brûler les pieds.

— Allez! dit Purnima. Montez sur ce disque lunaire, le disque de la pleine lune!

Elle obéit et aussitôt, les porteurs posèrent une chaise. Elle s'assit. Ils relevèrent l'objet tout doucement et déposèrent le disque sur leur épaule. La chaise oscilla légèrement sur le côté. Elle fit de son mieux pour contrecarrer ce mouvement et pour garder son équilibre. La peur se lisait dans ses yeux.

— Inféra, cria Andrick, nous sommes là pour te protéger quoi qu'il arrive.

— Je te verrais bien être à ma place, articula péniblement Inféra en essayant de conserver son aplomb.

En entendant sa voix si douce et si mélodieuse, Purnima se sentit rassurée. C'était bien elle qui devait la remplacer, quoiqu'elle aurait souhaité qu'elle ait des yeux bleus comme le diamant de Lune et non des yeux émeraude.

Les porteurs se dirigeaient en direction du temple de la déesse de la Lune. La troupe put admirer les trois temples en avant d'eux. Au fond, le plus haut temple, celui de l'Absolu, se dressait et en avant, d'un côté, le temple du Soleil et de l'autre, celui de la Lune. Une fois à l'intérieur du temple, une grande quantité de sable recouvrait les lieux.

— Voilà! Notre déesse de la Lune, dit Purnima en pointant un amas de poussière où seuls les pieds de la statue émergeaient. Elle est au sol depuis déjà 74 ans. Il ne manque que le diamant de Lune. Je prie qu'un jour cette pierre revienne orner le front de notre déesse.

Waldo se sentait de plus en plus mal. Il aurait bien voulu lui dire : « Je pense que je l'ai! », mais il hésitait et pensait qu'en affichant devant tout le monde sa fortune, il craignait d'être ridiculisé. Surtout que cette fortune provenait de leur territoire. Pas un instant il ne douta qu'on lui reprocherait sa cupidité et si, par surcroît, il leur révélait la possession de cette pierre, il appréhendait une atroce humiliation. Et pourtant, un doute subsistait dans son esprit. «Et si ce n'était pas le diamant de Lune tant recherché, juste un diamant comme un autre?» tentait-il de se convaincre. Adora le vit transpirer abondamment. Elle lui demanda :

— Qu'est-ce que tu as? Tu sembles perturbé.

— Oui, ma douce, mentit-il. Je suis émerveillé par ce peuple portant un culte à de si grandes divinités.

Il n'arrivait pas à lui révéler son terrible secret. Dès qu'il en aurait la chance, il comptait bien lui avouer ce qui lui pesait sur le cœur. «Ce soir, ce soir», se répétait-il.

CHAPITRE 8

L'EXCURSION

Ramon et Flavie arrivèrent exténués de leur expédition. Ils ne prirent pas la peine d'aller voir si leurs protégées dormaient dans les eaux tranquilles et intérieures du lac de la grotte. Ils ne désiraient qu'une chose : se coucher à l'instant même dans leur lit. Bien loin de sommeiller dans cette étendue d'eau chaude et confortable, les sirènes, elles, étaient parties faire une excursion dans les eaux glacées de l'océan Diar du côté de l'île des Brigands.

Nageant en silence, elles approchèrent de la terre ferme. Ayant visité les lieux à quelques reprises, elles connaissaient l'endroit exact où le village le plus près du rivage se situait. Fébriles, elles mirent pied au sol. Au contact de la plage, les sirènes d'Océanie avaient cette particularité d'acquérir de jolies jambes bien effilées. C'était pour elles un pur bonheur que de marcher comme les humains. Hélas! Ce bonheur ne durait que quelques heures, après quoi la circulation sanguine ralentissait et des démangeaisons de plus en plus importantes débutaient. Ensuite, les jambes se soudaient. Dès cet instant, elles se devaient de rejoindre la mer et s'y baigner et là, les écailles s'étalaient et complétaient la queue de poisson.

Les neufs sirènes arrivèrent sur le rivage tout excitées. Elles se roulèrent sur la grève rocheuse. En quelques secondes, elles se relevèrent et dandinaient de joie sur des galets glacés. Un peu gauches, elles perdaient facilement pied. Quelques-unes tombèrent et elles s'amusèrent à en rigoler. Elles parvinrent à rejoindre un terrain recouvert de pelouse. Reconnaissant les lieux, Éva informa :

— C'est un peu plus à gauche.

— Ah! oui, dit Sophaline. Le petit sentier qui mène au village.

— Brrr, c'est froid, dit Imarène. Il ne faudrait pas trop s'attarder.

— Je ne crois pas que ce soir nous dépassions le deux heures sous cette température glaciale, articula Arienne en grelottant et en se frottant les épaules.

Sur l'île, le sol était recouvert d'une nouvelle neige. Pieds nus et peu habillées, les sirènes à forme humaine claquaient des dents. Leurs cheveux si souples dans l'eau s'étaient solidifiés et des glaçons pendaient. Bien que la température soit inconfortable, elles pouvaient aisément endurer ce froid. Elles étaient habituées à nager dans les eaux glaciales du nord et leur métabolisme se réglait à cette température. Le rythme cardiaque s'abaissait et un engourdissement presque euphorique s'emparait d'elles. Elles se retenaient pour ne pas rire trop fort.

Pour la première fois, le paysage était fantomatique avec toute cette neige sur les toits, sur les rebords de fenêtres et sur les arbres dénudés. Poussées par leur curiosité, elles s'aventurèrent plus loin que d'habitude dans le village. Les flocons éclairés par l'illumination intérieure de ces adorables maisons brillaient comme des milliers de petits diamants. Les vacillements de la lumière des lampes et des chandelles dans les habitations les fascinaient. Elles s'approchèrent en conservant une bonne distance. Par les fenêtres d'une des maisons, elles voyaient des villageois dansant et giguant. Le rythme était entraînant. Elles suivaient des yeux ces danseurs virevoltants. Les hommes et les femmes tournaient en rond, puis se mettaient en deux rangées et ensuite, ils changeaient de partenaires. À la fin de la danse, ils retrouvaient leur premier partenaire. Leur visage était rouge de plaisir. Certains plus tranquilles buvaient assis à une petite table une boisson pétillante et les regardaient valser.

— Trop *cool*, murmura Zoé.

— Et si nous chantions ? dit Doria.

— Tais-toi, murmura Lolia, la plus prudente d'entre elles. As-tu envie qu'ils te gardent et que tu te transformes en écume ?

C'était hélas ! le sort qui les attendait lorsqu'elles se faisaient capturer et garder en captivité pendant une longue période. Si elles n'étaient pas rejetées à la mer lors des premiers signes évidents de défaillance, elles mouraient et se liquéfiaient sous forme d'écume.

— Le grand blond là-bas, chuchota Ariane, il est à mon goût. C'est malheureux que je n'aie pas sous la main quelques colliers pour l'embellir.

— Mais à la fin, bredouilla Imarène, nous sommes venues pour nous amuser, pas pour nous extasier devant eux.

Les sirènes délaissèrent les fenêtres et se tinrent autour de leur sœur porteuse de dragon.

— C'est vrai! Tu pourrais leur faire peur avec ton dragon, suggéra Éva. Juste quelques minutes. Ce serait drôle de voir leurs figures d'épouvante.

— Oh, non! C'est trop dangereux, pas pour eux, mais bien pour moi. J'ai peur que mon dragon prenne goût à ce jeu. Aqualon prend de plus en plus d'autonomie et lors de ses sorties, il aime de plus en plus ça. Je ne peux pas le libérer, voyons! Surtout si ces villageois sortent de leur maison et vous attrapent.

— Voyons, donc! Ils ne sont pas aussi rapides que nous et puis tu n'as qu'à demander à ton Aqualon une petite excursion de quelques minutes dans le ciel, un petit zigzag. Ce n'est pas cinq minutes qui changeront quelque chose dans ta vie. Il pourrait cracher du feu, une longue flamme. Ils auront la peur de leur vie, répéta Éva, et tout de suite après, tu reprends ta forme et on s'en va.

La musique cessa dans la maison et les gens vinrent se coller le visage aux fenêtres. Les sirènes comprirent qu'il se passait quelque chose d'inhabituel. Tremblotantes de froid, les neuf sirènes regardèrent autour d'elles. Elles constatèrent avec stupéfaction qu'elles étaient encerclées. Ils se tenaient à une bonne distance et surveillaient leur moindre geste. Plusieurs se cachaient derrière des troncs d'arbre. Un des habitants de la maison avait dû les repérer et aviser les autres compatriotes de l'île avec discrétion. Ils avaient sur eux de longs pics, des haches et des fourches.

— Oh! oh! dit Mirlane. Nous sommes prises au piège.

— On n'a qu'à les envoûter, suggéra Éva.

Elles se tinrent par la main et entamèrent leur chant préféré. Par malheur, ils avaient pris le soin de se mettre de la cire dans les oreilles pour éviter de les entendre. Un des leurs avait dû constater leur arrivée dès le début de leur aventure. Les sirènes n'étaient pas les bienvenues. Les femmes de l'Île les détestaient plus que tous. Plusieurs d'entre elles avaient perdu leur mari lors des voyages en mer et elles espéraient l'extermination complète de ces créatures maléfiques.

Comme le chant des sirènes n'envoûtait personne, un à un, les gens quittèrent leur maison. Une foule de plus en plus grouillante et menaçante les entourait. Les habitants avaient pris tout ce qui leur tombait sous la main : bâtons, cuillères, couteaux et fourchettes. Le premier cercle d'hommes près d'elles se montrait plus hostile et comptait bien les embrocher dans la minute suivante. Ils commencèrent à crier de rage. Ils faisaient claquer par terre l'extrémité des manches de pics et de fourches. Le rythme les animait et leur donnait du courage. Puis, l'un d'eux éleva sa fourche et cria : « Allons-y ! » Ce fut la ruée en leur direction.

Sous cette pression, Imarène prit une grande respiration et décida de libérer son dragon comme l'avait formulé Éva. En peu de temps, Aqualon grandit et se développa. C'était un magnifique dragon bien garni de pics et d'écailles coupantes tout le long de son épine dorsale. Sa tête était aussi grosse qu'une maison et ses yeux d'un bleu acier luisaient d'un regard froid et terrible. Il émit un long rugissement et quelques jets de feu sortirent de sa gueule. À la vue de ce monstre, les villageois interrompirent leur course. Les plus courageux restèrent sur place tandis que les autres déguerpirent en criant.

Aqualon regarda ces gaillards décamper. Il fit un clin d'œil aux sirènes et dit :

— Hé, jolies sirènes de mon cœur, si nous allions faire une promenade dans ce firmament étoilé.

— Ah, oui, moi, je veux bien, dit Zoé.

— Alors, grimpez à mon cou, nous allons faire une très belle excursion. Mais avant, je vais les surprendre en leur chauffant le derrière.

Elles montèrent et s'agrippèrent à ses fortes épines. Avant d'évacuer les lieux, il s'amusa à embraser les quelques personnes encore près d'eux et à enflammer les maisons près de lui. Il partit à rire et s'envola. Les sirènes endurèrent leur malaise et leur inconfort durant le vol. Elles avaient beau lui dire d'arrêter, il n'en faisait qu'à sa tête. Il leur en fit voir de toutes les couleurs, à elles et aux îliens. Il fit des rase-mottes, incendia d'autres maisons et s'envola très haut dans l'atmosphère. Là-haut, près des nuages, l'île des Brigands apparut sous la forme d'une belle grosse miche bosselée. En raison des feux de foyer et des maisons incendiées, elle avait pris l'aspect d'un pain à moitié brûlé.

Au bout de 20 minutes, Aqualon se jeta à l'eau et redevint Imarène. Elles étaient toutes transies de froid et leurs mains étaient lacérées à force de serrer si fort les épines dorsales du dragon. Au contact de l'eau, la fraîcheur les réchauffa tandis que l'eau saline désinfecta leurs plaies en les faisant grimacer de douleur.

— Alors, vous avez aimé votre tour? demanda Imarène.

— Il était temps que tu amerrisses. Je n'en pouvais plus, dit Mirlane. J'étais congelée. Je ne sais pas comment j'ai fait pour endurer ce froid.

— C'était chouette, mais regarde mes mains et mon corps, se lamenta Doria. J'ai des coupures partout. Ces picotements sont horribles.

Elles pleuraient toutes de douleurs. Elles cherchèrent de la boue pour se soulager. Après une exploration minutieuse, elles virent dans les fonds marins une masse argileuse. Elles se ruèrent à cet endroit et se roulèrent dans ce bloc d'argile. Complètement immergées à l'exception de la tête, elles apprécièrent l'effet soulageant de ce bain de boue. Elles reprirent leur conversation.

— Ah! quel soulagement, s'exclama Bibiane. Dans cette folle aventure, j'ai perdu mes lunettes.

— Et moi, ma harpe, d'ajouter Éva.

— Hum… il faudrait se bricoler des attaches, des gants et des armures de protection, dit Ariane. Je croyais que mes mains allaient être sectionnées.

— Et avec quoi penses-tu les faire? demanda Sophaline.

— Ben, dans la mer, nous avons tout ce qu'il faut, répliqua Ariane. Des algues pour faire des cordages, des coquillages pour faire des armures et de la soie de mer pour se fabriquer de jolis gants dorés.

— Quelle bonne idée! s'exclama Zoé. Et si nous allions en ramasser maintenant.

— Ah! vous autres, bougonna Doria, vous ne pourriez pas vous taire. Je suis tellement bien. Je ne bouge pas d'ici.

Toute la nuit, elles se prélassèrent dans cette boue. Ce ne fut qu'au matin que leur recherche du matériel nécessaire à la confection de leur armure de protection débuta. Elles trouvèrent aisément les produits pour l'élaboration de leur costume. Imarène était la seule pouvant déraciner les algues les plus robustes puisqu'elle était la seule sans lacération aux mains.

Ramon et Flavie se levèrent de bonne heure et de bonne humeur. Ils allaient annoncer un bal aux sirènes. En descendant pour se rendre à la grotte, ils ne perçurent pas le babillage de leurs protégées. En arrivant aux abords du lac intérieur, ils constatèrent qu'elles n'étaient pas là. Ramon sentit ses genoux fléchir tandis que Flavie crut que son cœur s'était arrêté. Devaient-ils se transformer à nouveau en triton et en sirène pour les retrouver ou tout simplement attendre qu'elles reviennent ? Ils choisirent la seconde option et patientèrent.

CHAPITRE 9

LE TEMPLE DE LA DÉESSE DE LA LUNE

Le temple de la déesse de la Lune était plus petit que celui du Soleil et ce dernier était plus petit que le temple du dieu de l'Absolu. De dimensions plus réduites, le temple de la Lune s'élevait sur 15 mètres de haut. Contrairement à celui du dieu du Soleil, le haut était complètement ouvert et revêtu de toiles blanches pour laisser entrer la lumière naturelle. En pénétrant à l'intérieur, ils constatèrent le manque d'entretien, les toiles d'araignées et l'amas de poussière et de sable. La statue située à l'entrée du bâtiment était renversée et à demi ensevelie.

Plusieurs s'activaient à la déterrer, d'autres, à balayer le plancher. Les nouveaux fervents du culte de la Lune firent une chaîne humaine en transportant les seaux de terre d'une main à l'autre et en les déversant à l'extérieur. Pour ne pas déranger les travailleurs, les chevaliers du Pentacle passèrent à côté. Inféra était toujours portée par ses porteurs. Malgré la clarté des lieux, l'ancienne Nagi alluma plusieurs cierges et fit brûler de l'encens. Une odeur de jasmin se répandit dans l'air.

Contrairement au trône du dieu du Soleil où le siège était situé au fond de la pièce, celui-ci était situé au centre de la place sous l'ouverture couverte de toiles. Une lumière blanchâtre provenant de l'extérieur l'illuminait. Le trône était posé au haut de huit marches représentant les huit phases de la lune : nouvelle lune, premier croissant, premier quartier, lune gibbeuse croissante, pleine lune, lune gibbeuse décroissante, dernier quartier et dernier croissant. Purnima monta les grandes marches circulaires. Elle était devancée par des femmes qui dégageaient l'escalier. Une fois en haut, elle se tint à côté du trône et s'adressa à Inféra :

— Ce sera ici que tu viendras t'adresser à tes fidèles pour ton premier esbat qui aura lieu dans deux jours.

— Est-ce qu'on pourrait me déposer au sol ? demanda la dragon-fée fatiguée d'être dans les airs.

Purnima redescendit les marches et fit signe aux porteurs de la déposer près de la statue. Une fois que la dragon-fée fut sur la terre ferme, elle demanda :

— Qu'est-ce qu'un esbat ?

— C'est une fête que nous célébrons à la pleine lune. Nous glorifions 13 esbats. Les trois plus importants sont ceux-ci : le sacrifice à la pleine lune du Bélier, le Wesak à la pleine lune du Taureau et la bonne volonté à la pleine lune des Gémeaux. Dans deux jours, ce sera l'Imbolc, un esbat assez important, la lune des cornes. Nous procédons au début de la cérémonie à un rituel de protection.

— Dame Purnima, vous avez conservé tous ces rituels malgré que la lune ne brille plus au firmament ? demanda Arméranda.

— Oui, jeune dame, un petit groupe m'est resté fidèle. Sans eux, je crois que les rituels se seraient perdus. Nous, les Naga et les Nagi, ne sommes pas immortels. De génération en génération, nous nous passons le flambeau. Chez le dieu du Soleil, ce ne sont que des hommes qui peuvent devenir Naga et chez la déesse de la Lune, ce ne sont que des femmes. Bien que mes filles fussent instruites à poursuivre la tradition, le peuple en a décidé autrement.

» Il a choisi une nouvelle Nagi, poursuivit-elle en se tournant vers Inféra.

Cette dernière aurait voulu protester. Aucun mot juste ne parvenait à ses lèvres. Elle espéra que ses compagnons lui viennent en aide. Ils avaient l'air tout aussi perdus qu'elle dans ces explications de célébration.

Les travailleurs avaient fini d'exhumer la statue. Ils passèrent des cordes et firent des nœuds. Lorsque la nuit viendrait, ils allaient la relever à l'aide des stratos qui sont inefficaces le jour.

En s'approchant de cette immense sculpture, Waldo nota une dépression au front pour recevoir une pierre. Il avait maintenant la certitude que le diamant bleu était bien celui qu'il avait dans sa pochette. Cette cavité au visage de la déesse correspondait bien à la taille du diamant en forme de larme.

D'ailleurs, il perçut un échauffement insistant au niveau de sa hanche, le dérangeant dans sa démarche. La pierre lui indiquait son désir de retrouver son lieu d'ancrage, sa place d'origine. Il éprouva un sentiment de culpabilité de ne pas divulguer à l'instant même qu'il portait sur lui cette pierre si bénéfique pour ce peuple. Il transpirait. De la sueur lui coulait le long des tempes. Hésitant, il résista à la panique et une idée lumineuse lui vint à l'esprit. « Ah ! je sais ce que je vais faire, pensa-t-il. Une fois, que tout le monde sera endormi, je vais rapporter ce diamant avant que la cérémonie ne commence et qu'on relève la statue. Ça ne sera pas difficile de placer le diamant de Lune, puisque la statue est au sol. » Cette pensée le réjouit et soulagea sa conscience. Il plaça sa main sur la pochette et le diamant se refroidit en signe d'approbation. Il se sentait incapable d'avouer qu'il possédait cette pierre. La cupidité des Elfes était bien connue et il ne désirait pas être la risée du groupe et surtout pas de sa compagne Adora.

Inféra était impressionnée qu'un temple soit construit en l'honneur d'une divinité, mais au plus profond d'elle, elle savait qu'elle n'était pas celle que le peuple attendait. La

prêtresse Ashia, une femme dans la cinquantaine avancée à la chevelure grison-
nante, s'approcha d'elle et lui fit grimper les
huit marches. Inféra comprit qu'elle pouvait
s'asseoir. La prêtresse s'agenouilla et tendit
bien haut ses mains :

— Ô grande Nagi, nous te prions de
briller comme autrefois et de nous apporter
eau et nourriture. Que nos terres redevien-
nent aussi fertiles qu'avant, ô grande Nagi.
Demain, ce sera le premier février. Ta statue
sera à nouveau debout et un nouvel avatar
s'incarnera. Quand la lune sera à son plein,
soit le 2 de ce mois, nous débuterons l'esbat
en ton honneur, ô grande Nagi.

Nina et Andrick se regardèrent. Ils dirent
en chœur :

— Le 2 février.

— Oui, le 2 février, répéta la prêtresse.
Est-ce un jour particulier ?

— C'est la date de notre anniversaire de
naissance, soupira Nina. Papa et maman ne
seront pas là pour fêter nos 12 ans.

Les jumeaux s'entrelacèrent et se remé-
morèrent les paysages enneigés à leur date
de naissance au domaine Dagibold. Ils
connaissaient leur treizième hiver. Oh combien celui-ci était différent des autres hivers !

Il n'y avait pas de neige, pas de glissades extérieures, pas de doigts gelés, ni de joues rougies par le froid. Ils s'ennuyaient de ces moments où, en rentrant dans la maison, la chaleur de leur chez-soi et un bon chocolat chaud les réconfortaient.

Cette température toujours ensoleillée leur avait fait perdre la notion du temps. Ils se rappelèrent les chicanes et les mauvais tours qu'ils se faisaient entre eux. Ils se rappelèrent aussi le visage découragé de leur père, les jugeant immatures, et la figure souriante de leur mère, satisfaite de la démonstration de leur joie de vivre. Ils n'avaient aucune nouvelle de leurs parents depuis des mois. La dernière fois, leur mère Pacifida était en convalescence aux Vergers de la Pomme d'Or. Grâce aux bons soins d'Éxir, elle se remettait d'un abus de magie qui l'avait à demi pétrifiée. Ils eurent une pensée pour leur père O'Neil, si dévoué à l'élevage des dragnards et si amoureux de son épouse, une autre pour Melvin travaillant consciencieusement auprès du paternel pour l'amélioration de la race des dragnards et enfin une pour leur sœur Éloïse, rebelle au ménage, mais qui le faisait méticuleusement à la demande de leur mère. Là-bas, au matin, l'air était rempli d'une odeur de sapinage en hiver, d'humus au printemps, de parfums de roses en été, de feuilles mouillées en automne et de bonnes brioches bien chaudes à chaque matin. Ici, l'air était sec et on ne sentait rien sauf, quelquefois, des effluves de transpiration.

Waldo revit les jours heureux au château du père d'Adora, de belles journées à flâner avec sa bien-aimée dans le jardin royal et à voler au-dessus de ses terres boisées d'arbres magnifiques et au sous-sol gorgé de charbon et d'or.

De son côté, Adora regrettait d'avoir quitté sa terre natale sans dire un dernier au revoir à son père et surtout à sa mère. En raison de la lettre qu'elle avait écrite avant de partir, concernant la mort de son frère Galdor, décédé en terre inconnue, elle appréhendait un immense chagrin pour sa mère, mais spécialement pour son père. N'avait-il pas été le fils préféré, n'était-il pas celui qui devait prendre les rênes du pouvoir à son départ ? Elle imaginait son visage tourmenté par cette annonce.

Inféra repensa à sa vie dans sa bulle de verre avec Picou comme seul compagnon. Autant elle s'ennuyait dans le passé, autant maintenant, elle regrettait cette vie rangée, modulée par les saisons et les apparitions de son dragon. Tous ses déplacements, tous ces visages inconnus et toutes ces étranges coutumes la traumatisaient.

Son éternel camarade, lui, voyait enfin le bout du tunnel. Il redeviendrait le magnifique magicien qu'il était, si du moins, il ne se faisait pas dévorer avant. Le seul désavantage était que ses compatriotes l'avaient transformé en vermine. Une bien mauvaise idée ! Des prédateurs, il en avait des milliers. Jusqu'à ce jour, il avait réussi à se soustraire à toutes les tentatives pour le tuer ou le dévorer. Il ne perdait pas espoir. Au fond de lui, il savait qu'il en serait ainsi jusqu'à la fin de cette aventure.

Même Arméranda fut prise de nostalgie. La vie en montagnes était rude et elle lui manquait. Elle se revoyait, chaque matin, à l'affût de nourriture ou à la recherche d'une belle bête au pelage soyeux. Pas une seule journée ne se passait sans cette quête. Tout son être vibrait en aspirant l'air frais pour y détecter l'odeur d'un animal. Elle reconnaissait des indices prometteurs en touchant le sol, en examinant les empreintes de pas et en vérifiant les branches cassées et la végétation dans les environs. Elle parcourait de grandes distances sur les flancs escarpés du Vouvret pour cueillir des myrtilles et du thé des bois. Elle aimait les parties de chasse du gros gibier avec ses parents. L'œil aiguisé de son père lui conseillait de bien observer avant d'agir et ses recommandations la poussaient à parfaire ses techniques de traque d'animaux et de cueillette d'aliments. Aucun abattage n'était inutile. Respecteuse envers la nature bienfaisante, elle ne tuait que ce qui était strictement nécessaire.

La prêtresse s'attendrit de leur douleur d'être loin des leurs et de leur terre natale. Toutefois, elle n'avait pas le temps de s'apitoyer sur leur tristesse. Il fallait qu'elle enseigne le cérémonial religieux à Inféra. Malheureusement, des mois d'enseignement auraient été nécessaires afin qu'elle accomplisse ses futures fonctions selon les rituels dictés et imposés par de nombreuses générations de Nagi.

Une centaine de personnes remplirent les lieux et le reste de la population demeura à l'extérieur du temple. Ashia, suivie de Purnima, amorça une procession autour d'Inféra pour la bénir. Autour du trône, l'espace était assez grand pour y circuler. La prêtresse prit deux cierges blancs et les alluma. Elle en tint un dans chaque main. L'ex-Nagi prit un petit seau d'argent rempli d'eau. Elle y trempa un goupillon et aspergea le sol du temple. Puis, elle bénit chacune des marches et atteignit le haut de l'escalier. Inféra s'inquiétait. Ce rite ne lui inspirait rien de bon. De grosses gouttes de transpiration coulaient le long de ses tempes. Elle craignait que cette cérémonie se termine par un don de sang à la manière d'un partage de son précieux liquide avec l'univers. Elle se tourna en direction de la troupe et murmura :

— Psst ! Psst ! Qu'est-ce que je fais ici ?

Elle aurait voulu crier ses inquiétudes. Elle ne pouvait exprimer son anxiété pendant que ces deux dames tournoyaient autour d'elle. Purnima fronça les sourcils et lui indiqua le silence en plaçant l'index devant la bouche. Inféra lut sur les lèvres d'Arméranda qu'elle lui disait de demeurer là où elle était et de rester calme. La nouvelle Nagi chercha du regard son vieux compagnon. Il était dans un des sacs en bandoulière et il se payait sa tête. Il se bidonnait en couvrant sa bouche pour ne pas être entendu et se roulait dans le fond de sa cache. Elle lui jeta un regard froid. Décidément, son ancien copain ne pressentait aucune mauvaise action de la part des deux prêtresses. Il parvint à réduire son rire et à lui souffler d'une mine réjouie :

— T'es ma déesse !

Son air décontracté mit un baume sur son agitation, de même que les paroles rassurantes d'Adora. Sans émettre de son, elle lui transmit en ne bougeant que les lèvres :

— Aie confiance en toi, elles ne te feront rien.

— Je sais, mais je ne suis pas celle que le peuple attend, fit de même Inféra.

Il n'y avait pas qu'Inféra qui transpirait. Plus bas, Waldo était baigné de sueur, la culpabilité lui rongeant les sangs. Il avait la gorge sèche. Il avait aussi hâte de se débarrasser de cette pierre qu'Inféra avait hâte de sortir de ce temple.

Les deux personnes près de la nouvelle Nagi tournèrent à ses côtés. Lors du parcours, Purnima agita de nombreuses fois le goupillon et la prêtresse la suivait avec les deux cierges allumés. La marche supérieure reçut une ondée d'eau laissant un cercle humide autour du trône. Elles s'immobilisèrent devant elle. Purnima déposa son seau au sol et joignit ses mains. Dans la foule, pas un seul son. Ashia sortit de sa tunique un onguent, enduisit son majeur de la main gauche et traça une ligne verticale au milieu du front d'Inféra.

— Que la déesse de la Lune reconnaisse en toi un cœur d'amour et de partage. Que la déesse t'inspire les actions présentes et futures. Ô grande Nagi, nous implorons ta venue, ta force et ta grande bonté. Qu'il en soit ainsi !

Il y eut un grand moment de silence. Inféra ne sentit rien de magique passer en elle. Aucune chaleur. Aucune lumière. Rien. Puis, Purnima cassa la glace en les invitant :

— Venez vous restaurer et vous reposer à la cantine.

— C'est tout ? dit Inféra déboussolée que la cérémonie se termine ainsi en queue de poisson.

La foule à l'intérieur se dissipa. Enfin, ils sortirent du temple. Lorsqu'Inféra voulut marcher, les porteurs posèrent le disque au sol.

— Mais à la fin, je suis capable de marcher, dit Inféra.

— Une Nagi ne doit pas en principe fouler le même sol que ses dévots, mais si

vous le désirez, vous le pouvez pour
aujourd'hui, renseigna la prêtresse déçue
de l'insouciance de sa Nagi et du manque de
dignité face à ses nouvelles responsabilités.
Après votre intronisation, ce sera différent.

— Oh! je préfère de beaucoup marcher.
Les hauteurs me donnent le vertige,
déclara-t-elle.

— Demain, il n'en sera plus ainsi,
l'avertit-elle. Ce sera votre premier samedi
où vos fidèles vous porteront dévotion et
votre seul moyen de locomotion sera de vous
déplacer par des porteurs.

Inféra pensa que peut-être la cape d'invisibilité pourrait lui être utile. Mais comment
l'utiliser sans que l'ex-Nagi et Ashia s'en
aperçoivent. Impossible de réfléchir avec un
compagnon qui rigole à côté de vous. Il lui
dit à la blague :

— C'est le désavantage d'être parmi les
dieux. Est-ce que l'air frais d'en haut te
refroidit le cerveau?

Purnima le fusilla du regard et il comprit
que ses paroles étaient inacceptables. Il
déglutit et se tint tranquille. Elle et la prêtresse les conduisirent à une grande tente
située à un carrefour de deux rues. De jeunes
enfants manipulaient des éventails d'une

grandeur anormalement imposante pour leur constitution à partir d'un assemblage de 48 plumes d'autruche montées sur un manche sculpté et teint d'acajou. Quelques tables rondes étaient éparpillées et des serveurs se promenaient entre les tables pour y distribuer des boissons rafraîchissantes et des biscuits aux amandes et aux pistaches.

— Des limonades ou des orangeades ? demanda l'ex-Nagi.

Comme nos invités ne connaissaient ni l'un ni l'autre, ils ne surent quoi répondre.

— Des limonades pour tous, dit Purnima en comprenant leur ignorance pour ce type de boissons. Vous verrez, c'est très rafraîchissant.

Nina pensa aux auberges dans son pays où il y avait à boire une grande variété de breuvages alcoolisés ou non comme de la bière, de l'hydromel, de la sapinette et même du chocolat chaud aux piments et à l'ail. Ici, on buvait de la limonade ou de l'orangeade.

Le serveur déposa des verres de limonade et un plateau de biscuits et de fruits. Purnima commença à expliquer ce que le peuple attendait d'Inféra.

— Dans deux jours, soit le 2 février, ce sera la pleine lune. Vous devrez présider la cérémonie et prononcer un sermon à vos fidèles.

Elle n'en croyait pas ses oreilles. Elle répliqua :

— Je ne connais même pas vos enseignements, comment présider une cérémonie et encore moins prononcer un discours. Depuis le début, je ne suis pas votre Nagi. Je suis Inféra, une porteuse de dragon. Et ma mission… n'est pas… d'être un avatar.

Picou, Andrick et Nina auraient voulu la rassurer et lui dire qu'ils l'assisteraient avec la magie et que ce serait un aussi beau spectacle que les prouesses que Picou avait faites au château du père d'Adora. En un instant, il avait fait disparaître le palais au complet, incluant les tables et les chaises. Puis, après un suspense interminable, il avait fait réapparaître l'ensemble des biens de la famille royale. Il avait pris sa revanche contre le roi Glorfindel et ses invités, si dédaigneux des chevaliers du Dragon rouge. Les seuls êtres qui leur avaient été empathiques étaient Waldo, Adora et la souveraine Elwing. Pour l'instant, Inféra avait effacé de sa mémoire les exploits de son collègue et se désolait d'être au premier plan de la restitution de ces rites.

Son compagnon l'examina. Elle semblait si agitée et si désemparée d'être un avatar. Il eut pitié d'elle. Comment pouvait-il lui transmettre de ne pas s'énerver, qu'il était là pour elle ? Elle se tortillait sur sa chaise et jetait des regards apeurés tout autour d'elle. Prise de panique, elle partit en pleurs. Il y eut un malaise auprès de la prêtresse et de Purnima. Toutes les deux commencèrent à penser que c'était peut-être une erreur. Elle était si agitée. Au lieu d'accueillir cette nomination avec joie et sérénité, elle montrait une grande faiblesse et une attitude d'enfant perdue. Toutefois, le peuple en avait décidé autrement et le désir devait être comblé. Il n'était nullement question de reculer. L'ex-Nagi lui mit la main sur la sienne et la rassura :

— Ne crains rien, je t'assisterai. Tu n'auras qu'à m'écouter et m'imiter.

Inféra sécha ses larmes et se blottit dans les bras de cette inconnue. Elle était dévastée.

La journée avait été longue et les Nagaliens qui dorment habituellement le jour se préparaient à se coucher sur l'heure du midi, quelques heures plus tard que d'habitude.

Lorsque Purnima leur offrit le gîte, ils ne se firent pas prier.

— Mais auparavant, nous aimerions voir nos bêtes, dit Andrick en sortant de la tente.

Kavin, qui se tenait à quelques pas de là, se rapprocha d'eux.

— Ils sont à l'abri avec les stratos, révéla Kavin.

— Avec les stratos ? dirent en chœur les jumeaux et Arméranda.

— Ces bêtes monstrueuses ? ajouta Adora. Ils ont dû bouffer mon yokeur, mon beau yokeur.

Kavin rit de bon cœur.

— Ces bêtes monstrueuses, comme vous dites, ne mangent que de l'avoine et du foin. Le jour, ce sont des bêtes aussi douces que des agneaux. Vous pouvez leur tirer sur la queue, sauter dessus, les piquer, rien ne les dérange. La chaleur trop intense du jour les rend amorphes et sans énergie. Ce sont des bêtes exceptionnelles. La nuit, leurs yeux voient mieux que quiconque dans le noir. Ils discernent les énergies animales et ainsi, grâce à eux, nous pouvons vite repérer des intrus et des animaux pour nous nourrir. Le jour, par contre, leurs yeux sont moins efficaces. Tout devient énergie par cette chaleur et ils sont incapables de différencier la chaleur du sable de la chaleur corporelle.

— Vraiment intéressant, dit Picou.

Ils rentrèrent dans une étable. Tous les animaux étaient concentrés sous un même toit : des poules, des vaches, des cochons, des moutons, des oies et des stratos. Aucun cobra n'y était. À la demande de Picou qui voulait comprendre l'absence de ces charmants reptiles, Kavin expliqua que les serpents sont vus comme des animaux sacrés et qu'ils ne se mélangent pas avec des animaux impurs. Il apprécia cette information réconfortante.

L'étable était immense et chaque espèce animale était bien séparée d'une autre. Au fond du bâtiment, ils retrouvèrent leurs dragnards, les yokeurs et Horus. Adora fut heureuse de retrouver son yokeur. Elle s'attendait réellement à ne trouver qu'un tas de plumes. Ces grands oiseaux transporteurs se partageaient un coin bien à eux. Ils étaient tous calmes et étaient en bonne santé. Les yokeurs et Horus grignotaient du blé et de l'avoine tandis que les dragnards avaient savouré quelques vermines, qui traînaient dans le coin, et s'étaient assoupis sous cette chaleur insupportable.

Rassurés, ils se rendirent chez Purnima et pénétrèrent dans une jolie maison en pierre aux murs chaulés et au plancher recouvert de tuiles bleu pâle. Malgré la température élevée à l'extérieur, une bonne ventilation naturelle croisée rafraîchissait l'air ambiant. Elle habitait avec son mari Gulzar et ses deux filles, une de cinq ans et l'autre de trois ans. Après un repas sommaire, le conjoint ferma les fenêtres. Une simple toile blanche faisait office de fermeture. En peu de temps, tous s'endormirent sous cette température écrasante. Waldo lutta pour rester éveillé, désireux de livrer l'objet recherché, mais la fatigue l'emporta. Il dormit jusqu'au soir. Il se réveilla, désolé de ne pas avoir accompli sa tâche. Il craignait le pire. Comme dans le passé, la pierre allait se venger de ne pas être logée à l'endroit prévu où elle devait briller. Un mauvais sort l'attendait. Une boule d'angoisse se logea dans son œsophage.

CHAPITRE 10

LA TRAÎTRISE

Le peuple des Nagaliens s'apprêtait à célébrer la déesse de la Lune qui n'avait pas été fêtée depuis de nombreuses lunes, pour dire plus exactement depuis plus de 963 lunes.

Après un court sommeil réparateur, Nergal se réveilla. La frustration que son peuple vénère un autre avatar le mit dans une telle colère qu'il se leva de son lit sans réveiller son épouse. Il parcourut les 100 mètres séparant sa résidence de son temple au toit dévasté. Rendu là, il alluma quelques cierges et s'assit sur son trône. Il réfléchit.

Ce soir, à minuit, ce sera le sabbat de la déesse de la Lune et demain, l'esbat. Autrefois, lorsque l'esbat arrivait un dimanche, la fête se faisait au temple de l'Absolu puisque la dévotion des deux divinités coïncidait. Nergal le savait bien. Le peuple ne le croyait plus et tout son espoir était tourné vers cette déesse aux cheveux de feu. Les Nagaliens ne viendraient plus le prier.

— Dire que j'étais si près de mon but, ragea Nergal, devenir le dieu de l'Absolu. Damnée Lune ! Elle était disparue et voilà qu'elle prend de la force. Il faut que je récupère mes cobras sacrés et mes gardes. Eux, ils sauront exterminer à tout jamais cette saleté de Nagi et ces saletés de voyageurs !

Confiant, il rit et partit de ce pas voir son prêtre Asu. Surmontant son dégoût de devoir traverser une partie de la ville à pied, de marcher sur cette terre au lieu de parader dans son char, il revêtit une tunique et une cape noire. Il ne voulait surtout pas se faire reconnaître par un des habitants qu'il considérait comme inférieurs, comme des parasites. Lors de son trajet, il espérait sillonner la ville le plus discrètement possible.

Son prêtre vivait dans une belle propriété de taille importante faite en pierres blanches, plus massive que celles combinées de Purnima et d'Ashia. Contrairement à la prêtresse lunaire qui se servait de plantes pour guérir les maladies et autres maux, Asu utilisait pour soulager les gens des incantations et des potions aux odeurs la plupart du temps nauséabondes. Comme il le disait si bien à ses patients :

— Sachez, âme souffrante, que j'ai le pouvoir de vous guérir et de chasser le démon malade en vous, celui qui vous brûle et pourrit l'intérieur de votre enveloppe corporelle. Les potions que je mouds et lie aux énergies bienfaisantes sont là pour exhorter ce mal à vous quitter. Seul le dieu du Soleil décide de la vie et de la mort, et non moi. Je ne suis que l'instrument de ce dieu pour accomplir ses fins. Et si mes incantations ne fonctionnent pas, ce n'est pas en raison de mon inexpérience ou à l'emploi de mauvaises conjurations. Non, la seule raison valable est que vous ne croyez pas assez aux pouvoirs du dieu du Soleil. Si vous ne priez pas de toutes vos forces et de toute votre âme, alors vous mourrez. Qu'il en soit ainsi !

Dans sa pratique, Asu était très expéditif. En quelques minutes, il décidait du choix du traitement. Les patients en sortaient terrifiés. Sous ces menaces de vie ou de mort, ils suivaient ses consignes avec assiduité et priaient sans relâche au temple du dieu du Soleil au point de sentir leurs genoux s'enfoncer dans la pierre.

Tandis qu'Ashia, elle, dialoguait avec ses patients et établissait un diagnostic en écoutant leur cœur, leur respiration et en prenant leur température en apposant son poignet à leur front. Elle examinait le blanc de l'œil, la couleur de la langue et l'intérieur des oreilles. Puis, elle confectionnait des tisanes ou des compresses après avoir longuement mûri le choix de son traitement. Et si le malade s'affaiblissait, elle redoublait d'attention.

Le peuple était partagé entre ces deux médecines si différentes, une basée sur le chamanisme et l'autre basée sur l'écoute et le bienfait des plantes. Depuis la disparition du diamant de Lune, Nergal faisait tout pour les dissuader de consulter la prêtresse Ashia, disant que la déesse les avait quittés et qu'Ashia était maintenant une prêtresse déchue, tout comme Nagi. Une petite partie du peuple ne le croyait pas et avait conservé une dévotion très fervente à leur déesse et allait se faire examiner par Ashia en espérant la guérison de leurs maladies.

Nergal atteignit la maison d'Asu. À ce moment-là, il ne s'attendait pas à découvrir un Asu différent de son prêtre très attentif à lui et loyal. Par la fenêtre entrouverte, il le vit préparer un thé sur le petit réchaud à charbon et un patient était là. Ce visiteur l'embêtait. Il hésita un instant, puis décida de les surprendre.

Sans préambule, il entra. L'hôte renversa le contenu bouillant de sa tasse, croyant avoir affaire à un voleur. L'intrus regarda autour de lui et fut heureux de constater que le long d'un mur, 12 paniers d'osier s'étalaient. Le patient, en reconnaissant Nergal, se jeta immédiatement à genoux et posa sa tête au sol.

— Tsst! tss-tss! mon brave homme. Relève-toi et n'informe personne de ma visite auprès de mon prêtre. Je suis en mission secrète et, si jamais j'apprends que ta langue s'est déliée, elle sera tranchée et tes yeux, crevés.

L'homme blêmit et assura qu'il en sera ainsi. Il répéta : «bouche cousue, bouche cousue.»

À cette heure tardive, Asu reconnut son maître et soupçonna qu'il était venu parce qu'il lui prêtait de mauvaises intentions. Il faisait beaucoup de consultations et il exigeait en retour de la nourriture qu'il disait remettre au dieu du Soleil. Bien sûr, il conservait le tout pour sa famille et l'avatar ne recevait rien. Si Nergal connaissait cette tricherie, il risquait gros.

Lorsque l'avatar remarqua les paniers des najas, le prêtre trembla davantage. Il s'attendait à une réprimande sévère. Seul le grand Naga avait le droit d'avoir en sa possession des cobras. Les gardes royaux les ramenaient chez eux pour les nourrir. Et voilà que les 12 najas étaient ici, chez lui.

— Ah! mon prêtre, tu as les cobras, dit Nergal. Je les cherchais partout. Tu as bien fait de les entreposer chez toi. Personne ne pourra deviner qu'ils sont ici, sauf ton visiteur.

Malgré les paroles rassurantes de son supérieur, il se méfiait de lui. Nergal possédait une attitude changeante, comme une girouette au vent. Un jour, il vous honorait et le lendemain, il vous insultait en hurlant à tue-tête. Il fit de son mieux pour cacher son inquiétude et prit une voix douce et assurée :

— Oui, ô grand Naga! J'ai pris grand soin d'eux. Je serai tout à vous dans un instant. Me donnez-vous un peu de temps pour cette brave personne?

— Allez! Je vous donne une minute, pas une de plus.

Il écourta sa séance à ce malade qui souffrait de terribles maux de dos et d'estomac. Il lui donna une grosse bouteille d'absinthe, une boisson appelée la fée verte, connue pour ses effets euphoriques. Il lui prescrivit une tasse de cette liqueur, trois fois par jour, une dose mortelle, loin d'être anodine. Il s'en foutait. Une fois mort, le patient ne pouvait plus se plaindre de ses maux de dos ou d'une mauvaise prescription.

Nergal examinait les lieux sans vraiment chercher quoi que ce soit. Il souleva un des couvercles du panier et admira le cobra ensommeillé. Il avait une confiance absolue en Asu. Aussi, il ne pouvait imaginer en lui un seul petit soupçon de traîtrise.

Or, il ignorait que son prêtre avait ses propres aspirations. Il ignorait que si la lune ne brillait plus, ce n'était pas grâce aux dévotions de ses fidèles envers le dieu du Soleil, mais bien par les pratiques d'un nouveau dieu ignoré de tous les Nagaliens. Sa puissance était telle qu'il parvint à obscurcir à

tout jamais la présence de la lune et à empêcher que la pluie pénètre les terres. Bientôt,
ce ne serait ni Nergal, ni Inféra qu'on prie-
rait, mais bien lui, le dieu tout puissant.

La séance se termina. Le patient glissa
discrètement un sac de belles grosses dattes
à son guérisseur et il quitta la résidence
sans saluer le grand Naga, comme s'il n'existait pas. Nergal fut ravi. Il saisit que l'homme
ne parlerait pas de sa présence au domicile
de son prêtre. Il s'assit et déballa tout ce qu'il
avait sur le cœur. Les humiliations du matin
le ravageaient. Il expliqua à Asu en toute
candeur et sincérité sa pensée :

— Ce peuple est maudit. Je suis à leurs
yeux un humain, un vulgaire humain, alors
que je suis le plus grand avatar que la planète ait porté. J'ai marché jusqu'à ta demeure
alors que mes pieds ne doivent jamais fouler
ce sol impur. Je suis le maître de la cité,
l'avatar du dieu du Soleil. On me doit respect
et regarde ces misérables qui osent prier
cette… cette déesse mourante… cette… ah !
cette Purnima me met en rogne. Comme
j'aurais aimé qu'elle soit deux mètres sous
terre. J'aurais dû agir plus tôt. C'est ma trop
grande bienveillance qui fait qu'elle est

encore en vie. Je suis trop bon. Tu vois, la bonté n'arrange rien. Au contraire, elle nuit.

— Ô grand Naga, cela me chagrine beaucoup. Grand Naga, vous ne méritez pas ce désintéressement, disons-le, momentané. Vous verrez, les gens reviendront vers vous, trois fois plus fort qu'avant et le peuple vous louera, non pas comme l'avatar du dieu du Soleil, mais bien comme le dieu de l'Absolu.

Nergal sourit. C'était exactement ce qu'il voulait entendre. Ces paroles l'enthousiasmèrent.

— Enfin, quelqu'un à qui parler et qui a une tête. J'apprécie beaucoup ton raisonnement. Tu ne sais pas la dernière nouvelle. Ça concerne Purnima. Oui, Purnima, cette femme… hum… que je déteste. Elle est très habile… je dirais même très maligne… elle a vu en cette dame aux cheveux affreusement laids et roux qu'elle serait la prochaine Nagi. La pauvre, elle est désespérée, elle n'a plus sa tête. Elle est… comment dirais-je?

— Pathétique, dit Asu qui connaissait bien cette expression chérie de son maître.

— Oui, exactement. Une femme venant d'ailleurs qui ne connaît pas les traditions, ni les rituels. Elle va être la risée de tous. D'ici deux ou trois mois, tout au plus. Elle va drôlement se planter.

Nergal riait. Asu ne put que sourire. Son grand Naga était sous son contrôle. Il se confiait à lui en toute liberté et lui révélait ses plans. Asu jouissait. Il n'en espérait pas tant. Il aurait pu commander immédiatement la mort de ce pourri de Nergal en ordonnant aux cobras à ses côtés de l'attaquer. Il se retint. Il avait trop hâte de savoir ce que mijotait ce dégradé. À l'heure actuelle, il n'était plus qu'une épave dans ce pays et il s'accrochait au pouvoir comme le ferait une souris suspendue à un fil qui s'effrite au-dessus d'un feu. Cet avatar déchu était plus déchu que Purnima et il avait besoin de lui, alors que lui n'avait pas besoin de ce quémandeur. Il en éprouva un plaisir délectable. Il fit comme s'il était encore son serviteur. Il lui servit du thé. Nergal en but sans émettre un remerciement, trop habitué à son rôle de dictateur.

— Je suis encore le grand avatar du dieu du Soleil et je suis encore plus puissant que cette Nagi. Elle s'est mis en tête que la petite rousse du groupe serait le prochain avatar de la déesse de la Lune.

Il gloussa de rire avant de poursuivre :

— La journée a été longue et il fait chaud. Ils dorment d'un sommeil profond, tellement profond… ouais… j'y pense. Pourquoi attendre des mois alors qu'il suffit qu'ils ne se réveillent pas ? Pourquoi n'avais-je pas pensé plus tôt à cette éventualité ? Tu as les cobras et je suis ici. Hum… Je vais réfléchir à cette option. Il faudrait les tuer avant la cérémonie… avant minuit.

— Excellente idée, ô grand Naga.

Il prit un air triste et il ajouta :

— Hum… quel spectacle désolant ce sera en les découvrant ! J'aurais préféré faire un spectacle à grand déploiement, comme un combat dans l'arène, mais les dieux en ont décidé autrement. Il ne faut pas oublier que le peuple aime les divertissements. Ça fait si longtemps qu'ils n'en ont pas eus.

— En effet, c'est bien malheureux, ô grand Naga.

— Purnima les héberge chez elle. Nous allons faire d'une pierre deux coups en apportant les cobras chez elle. Nous serons débarrassés à tout jamais de cet avatar pourri, de ses descendants et de ces mécréants.

— Ah! Je vois, très bien pensé, Naga.

— Je sais. Toutefois, pour cette mission délicate, il me faut mes gardes. Les cobras sont quelquefois surprenants. Ils n'obéissent qu'à leur instinct. Ah! j'en veux à mes gardes qui ont déguerpi à la vue de deux dragons, deux minuscules dragons. Quel manque de courage! Notre peuple s'en va vers la déchéance…

» Il faut que cela change! poursuivit-il en frappant son poing sur la table. Et mon temple qui est en piètre état, une vraie désolation. Je veux passer un décret qui fera réfléchir quiconque veut se détourner de moi. Ces sales gardes, ils vont me le payer!

Il chercha du regard de quoi pour écrire.

— As-tu du papier et de l'encre, mon prêtre?

Asu se retint pour ne pas rigoler. Il se concentrait pour ne pas exploser de rire. Ses gardes l'avaient déserté et les najas aussi. Désirant la possession de ces cobras, le prêtre insista auprès des soldats pour obtenir la surveillance de ces reptiles en attendant que les événements se tassent. Ces bêtes représentaient une marque de prestige et il comptait bien les offrir à sa divinité et non les rapporter à son maître Nergal, comme il l'avait dit à ces gardiens de najas. Confiants du bien-fondé de sa demande et ignorant son action de les présenter à un autre dieu, les gardes furent soulagés de lui céder leurs compagnons puisqu'ils n'osaient les rapporter à Naga, craignant de sa part une colère titanesque.

De son côté, Asu croyait qu'il ne viendrait jamais chez lui et qu'il resterait dans son temple à maugréer contre tous et à pleurnicher sur son sort. Asu dut reconnaître que son maître avait du ressort. Il ne se laissait pas miner par la défaite. Il avait marché jusqu'à lui en foulant le sol de ses propres pieds. Cet être était si imbu de lui-même que le mot « défaite » n'existait pas dans son vocabulaire.

— Bien sûr, ô grand Naga, c'est dans une autre pièce. Je reviens dans un instant, ô grand Naga, fit-il en s'inclinant plusieurs fois.

Asu était à peine levé que Nergal remarqua que, derrière le siège vide, un bout de tissu blanc sortait d'une boîte recouverte d'un papier de soie. La curiosité le prit et il se leva sans faire de bruit pour examiner le tissu. Il releva le papier et, sans l'ombre d'un doute, il comprit que c'était une cape blanche avec des broderies en or. Elles n'étaient pas complétées. Toutefois, on pouvait facilement deviner que le motif représentait un soleil. La lèvre inférieure de Nergal commença à trembloter. Furieux, il aurait voulu crier et déchirer cette cape. Maîtrisant ses émotions, il replaça la cape et le papier, puis se rassit.

Asu revint avec du papier et de l'encre. Nergal n'arrivait plus à se concentrer, ni à rester maître de lui-même. Le sang lui bouillait dans la tête et une douleur lancinante se manifesta à la base de sa nuque. Il n'avait jamais ressenti une douleur si déplaisante et il comprit que la source de ce mal était son prêtre.

Heureusement que ce dernier ne se rendit compte de rien. Fredonnant comme il en avait l'habitude lors de l'exécution de gestes banals et machinaux, Asu déposa le tout sur sa table. Sans regarder son visiteur, il trempa sa plume dans l'encre et écrivit, comme il avait l'habitude de le faire, en débutant par l'inscription de la date :

En ce jour du 1er février 2 185 années du dieu de l'Absolu,

Moi, le grand Naga, décrète que dorénavant…

Il attendit. Entre-temps, Nergal avait eu le temps de reprendre ses esprits et de laisser les flux sanguins se rétablir. Maître de lui, il savait que son pire ennemi était ce bouc de prêtre. Il menait une conspiration contre lui. Il lui restait à savoir à quel point ses soldats étaient maintenant de connivence avec lui.

— Ouais, je ne sais comment te l'expliquer, mais je repensais à une autre mort que par les cobras. Ce serait plus magnifique et plus digne de moi de créer un divertissement.

— Je vous l'accorde, ô mon grand Naga.

— Je vais réfléchir à un jeu. Le gagnant pourrait recevoir un magnifique cadeau, un de mes cobras dans un joli emballage. Si j'annonce un châtiment, ils ne se présente-ront pas à moi, tandis qu'un jeu... ça pourrait les emballer... Tu vois ce que je veux dire ? Cadeau et emballer. Ha ! Ha ! ricana Nergal. Qu'est-ce que tu en penses, mon prêtre ?

— Excellente idée, ô grand Naga, dit-il confus.

Il remarqua l'illogisme de sa démarche. Alors, il poursuivit en demandant :

— Mais ne m'avez-vous pas dit qu'il s'agit d'un décret pour favoriser votre dévo-tion et non d'un jeu ?

LE DIAMANT DE LUNE

Nergal faillit se fâcher. Ce «mais» l'irritait. Il voulut se reprendre. Il essaya de formuler une autre proposition, mais elle ne venait pas. Fixant les yeux de son adversaire, il n'y vit que les yeux d'un traître. L'avatar du dieu du Soleil se perdit dans ses mots et suggéra sans grande conviction :

— Le décret ne presse pas, c'est la Nagi qu'il faut éliminer. C'est pourquoi je te parle de jeu. As-tu une meilleure suggestion ?

Le grand prêtre Asu souriait toujours et approuvait en hochant la tête. Une suggestion ? Sa tête était vide. Qu'est-ce qu'il aurait pu suggérer ? Ce n'était pas son rôle et ce n'était surtout pas dans les habitudes de son maître de lui demander des suggestions. Quelque chose clochait ?

— Ô grand Naga, c'est me prêter un trop grand pouvoir. Je suis là pour vous servir et non pour vous dicter ce qu'il faut faire.

Encore là, Nergal faillit entrer dans une grande colère. Il n'en fit rien. Ce traître n'essayait même pas d'être inventif.

— Nous allons mettre fin à notre séance. Je dois méditer sur ce sujet, conclut Nergal.

Puis, comme pour lui prouver qu'il appréciait sa franchise et sa disponibilité, il ajouta en le complimentant :

— Advenant que tu aies une idée, n'hésite pas à me rejoindre chez moi, Asu, le plus grand prêtre de notre ville.

Au visage heureux de son hôte, le visiteur comprit que ses jours étaient comptés. Peut-être même que ce serait ce soir. Il imagina qu'une morsure d'un de ses cobras l'endormirait à tout jamais. Nergal se leva d'un pas leste, pressentant sa mort.

— Et quand voulez-vous passer à l'action ? dit Asu.

— Quelles actions ?

— Pour Purnima et sa famille.

— Ah, ça ! Pas ce soir. Beaucoup plus tard, lorsqu'ils se penseront invincibles.

— Très brillant, ô grand Naga ! Un autre soir… lorsqu'ils ne s'y attendront pas.

— C'est ça, ricana le grand Naga.

Oui, parce que ce soir, Nergal venait de concevoir un nouveau plan à mettre à exécution et Asu était celui qui était dans sa mire.

CHAPITRE II

L'ATTENTE

Pour aider ses sœurs, Imarène, assistée d'Ariane, fabriqua des gants en mélangeant de la soie de mer et des algues. D'aspect rustique, les gants furent très utiles pour tisser des cordages qui exigeaient plusieurs manipulations. Elles travaillèrent sans relâche pendant trois jours sur les rives étroites de l'océan Diar. Dès qu'elles se glissaient sur cette plage, elles acquéraient de belles jambes. C'était à chaque fois grisant. Elles dansaient et sautillaient de longues minutes avant de se mettre à l'œuvre. Elles éprouvaient beaucoup de plaisir à se confectionner des armures qui ressemblaient plus à des costumes rigolos.

— J'ai trouvé de belles plumes, dit Zoé en ramassant des plumes de yokeurs qui avaient atterri au bas de la falaise.

— Waoh! s'extasia Sophaline. Je n'ai jamais vu de si belles plumes. Elles sont longues et douces.

— Ohooo, jolies sœurs, il n'y en a pas beaucoup, ohooo, jolies sœurs, chanta Éva en jouant de la harpe.

Elles se bouchèrent les oreilles. Sa mélodie était médiocre et énerva particulièrement Sophaline.

— Éva, c'est affreux! cria-t-elle. T'es pas obligée de chanter tout le temps. Si tu continues, je vais t'attacher à un rocher, détruire ta harpe et boucher ta jolie petite bouche avec des algues gluantes et puantes.

Aussitôt, Éva pleura et s'éloigna de ses sœurs en s'écriant :

— On ne reconnaît pas mon talent. Pire, on me ridiculise. Si on m'avait donné ma chance, je ne serais pas là avec vous. Je serais une grande chanteuse interaquatique qui parcourt les vastes mondes océaniques. Au lieu de ça, je suis condamnée à rester auprès de vous. C'est injuste.

— La plupart du temps, tes chants sont excellents, dit Lolia pour la consoler, mais cette fois-ci, c'est raté.

— Viens, dit Mirlane en la chatouillant avec une plume.

Par bonheur, les chicanes et les insultes ne duraient pas longtemps. Il y en avait toujours une dans le groupe qui avait le mot juste pour réconforter l'autre. C'est pourquoi elles s'entendaient si bien. Même les inventions saugrenues d'Ariane réussissaient à les mettre de bonne humeur.

— Ce sont de beaux objets décoratifs, dit Ariane, qui iraient bien à notre couvre-chef. C'est triste. Il faudra se les partager, une plume pour chacune.

— Ah oui, s'exclama Mirlane qui glissa une plume dans un casque d'algues tricotées.

Elle mit son œuvre sur sa tête et s'écria :

— Voilà !

Imarène applaudit tandis que Doria chanta :

— Vanité et vanité, tout n'est que vanité. Cette plume, à ton chapeau d'été, n'est qu'une piètre parure, qui ressemble à une hideuse rognure.

— Oh là là ! Que tu peux être rabat-joie. Tu n'es qu'une grosse jalouse. Si tu n'en veux pas, donne-la-moi, dit Zoé en essayant de la lui enlever.

Éva se mit à rire. C'était au tour de Doria de se faire rebattre les oreilles par la franchise de la plus jeune. Bien que Doria méprise leur frivolité, elle ne consentit pas à céder sa plume. Elle réussit à la conserver et la cacha derrière elle. Zoé grimaça.

— Je propose, dit Sophaline, que nous paradions ce soir avec nos costumes. Il nous faudra une juge pour désigner une gagnante.

— Bonne idée ! s'exclama Imarène. Puisque je n'ai pas besoin de costume, je serai cette juge. Que la meilleure gagne !

— Ça fait déjà trois jours, dit Lolia, que nous sommes parties. J'ai bien peur que notre oncle et notre tante partent à notre recherche. J'ai le sentiment qu'il faudrait retourner chez eux. La dernière fois, ils avaient l'air très inquiet.

— Pas une autre rabat-joie ! Eh bien, qu'ils nous cherchent, fit Zoé en lui lançant du sable au visage.

Ce fut immédiat. Lolia, les yeux rougis par le sable, perdit toute convenance. Elle se rua sur Zoé et lui tira les cheveux, puis ce fut les coups de poing. La bataille était loin de s'affaiblir. Les autres sirènes comprirent qu'il fallait intervenir. Sophaline et Bibiane réussirent à séparer les deux combattantes et à retirer Lolia qui s'agitait comme une démone sur sa sœur. Zoé se releva péniblement. Elle avait reçu une solide droite au nez et du sang se répandait sur sa jolie frimousse.

— Espèce de sale petite sorcière, tu m'as défigurée !

Sophaline arriva près d'elle et lui tendit son miroir. Malgré le saignement, la blessure était légère. Zoé joua à la victime meurtrie à mort.

— Je suis complètement défigurée. Regarde mon œil. Il est enflé !

— Oh là là ! blagua Lolia. Une petite marque à ton visage. Que c'est dommage !

— Grrrr ! grogna Zoé.

— Tu as eu ce que tu méritais, sale petite garce à la noix, répondit Lolia à son grognement.

— Arrêtez, vous autres, il y a plus urgent que vos insultes, hurla Bibiane en réajustant ses lunettes retrouvées qui glissaient sur son nez. Je viens d'avoir un flash. Lolia a raison, nos vieux se tracassent pour nous.

— Tu veux dire Ramon et Flavie ? demanda Mirlane.

— Oui, tu te rappelles avant notre départ. Nous étions censées rester bien tranquilles à la grotte. Flavie nous avait promis un potage aux écrevisses au petit matin. C'est le genre de potage qu'elle nous fait lorsque nous sommes gentilles ou qu'elle veut qu'on le soit. Alors, qu'est-ce qu'on fait?

— Ah oui! se souvint Imarène. Supposément que d'autres porteurs de dragon sont dans les parages. Je dis bien supposément puisqu'ils ne les ont pas vus. Je crois qu'ils nous mentent parce qu'ils veulent qu'on soit sages comme des images.

— Bien dit, acquiesça Lolia.

— Ils vont nous retrouver. Ça, c'est sûr, bougonna Bibiane. Puis, ils iront voir nos parents et ensuite, on devra les suivre. Mon père nous défendra de sortir et peut-être qu'on aura droit à quelques remontrances et peut-être même à quelques coups de trident.

— Tu crois? demanda Zoé.

— Bien sûr que oui, affirma Mirlane. Je le crois capable de venir nous chercher dans son merveilleux char.

— Ouais, dit Ariane. Tu as raison. Notre père est tellement fier. Ce sera pour lui une occasion de sortir son char marin dernier cri et ses hippocampes, une occasion en or d'étrenner sa nouvelle acquisition.

Sophaline enfila un fil dans une aiguille rudimentaire et assembla deux pans d'une jupe faite d'algues, d'un assemblage de coquillages et d'agates. Elle leur cria :

— En attendant, finissons nos costumes avant que les démangeaisons nous prennent. Que la meilleure gagne !

À part Bibiane et Doria, toutes partirent à fond de train pour poursuivre leur habillement, peu soucieuses d'être recherchées par leurs parents ou par les enchanteurs.

Poséidon se faisait du mauvais sang. Depuis trois nuits, il ne dormait pas. Il attendait que ses filles se présentent. L'attente était longue. Il craignit qu'un malheur soit arrivé. Il passa à deux doigts d'équiper son char et de les rechercher. Étant donné que Ramon et Flavie en étaient responsables, il s'arma de patience. Il demeura au château et fit les cent pas.

Ramon et Flavie eux aussi se faisaient du mauvais sang. Ils craignaient le pire. Elles étaient disparues depuis trois longues journées. Ils n'osaient aviser les parents de leur manque de vigilance. Leurs filles, qui aimaient les bals et les chevauchées d'hippo-campes, auraient dû apparaître chez leurs parents dès le lendemain. Elles les avaient bien bernés en leur disant qu'elles reste-raient bien sagement au lac du dragon d'ar-gent. Même la préparation de leur potage préféré ne les avait pas affriolées. À présent, ils savaient qu'ils ne pouvaient plus se fier à leur parole. Les gentilles sirènes n'en fai-saient qu'à leur tête.

— Qu'est-ce qu'on fait ? demanda Ramon.

— Nous n'avons pas le choix, nous devons les trouver, dit Flavie.

Ramon acquiesça. Ils prirent la barque et ramèrent le long du littoral. Ce n'est qu'au bout d'une heure qu'ils les retrouvèrent. S'ils avaient su où elles se tenaient, ils seraient partis à leur recherche deux jours plus tôt.

Il y avait sur le rivage un tel fourbi de bois, d'algues et d'autres détritus qu'ils accé-lérèrent leur cadence. Avant de débarquer sur la berge, ils se mirent un peu de cire dans les oreilles pour atténuer les hautes fré-quences agaçantes des voix des sirènes.

Ramon fut le premier à les questionner d'un ton impatient :

— Mais qu'est-ce que vous faites là ?

— Rien, rien, dit Ariane toute rouge et qui cachait derrière elle un attelage.

Ramon s'approcha d'elle et la contourna. Il comprit vite de quoi il s'agissait.

— Malheureuse, qu'est-ce que tu fabriques ?

— Je t'assure, ce n'est qu'un petit bricolage pour s'amuser, affirma Ariane.

— Tu mens ! Je vois bien que ce sont des harnais pour un dragon. Vous avez fabriqué un harnachement pour grimper sur le dos d'Aqualon. Mais à la fin, voulez-vous vraiment la mort de votre sœur ?

— Non, répondirent-elles en chœur.

Ramon saisit l'attelage et le rejeta loin dans la mer. Les jolies sirènes émirent un oh de désolation. Lorsqu'elles virent leur travail flotter sur les vagues, elles sourirent. L'attelage serait facile à récupérer dès que les deux petits humains auraient le dos tourné.

— Imarène, expliqua Ramon d'une voix douce, il faut que tu minimises tes changements. Je vois bien qu'Ariane a dû de nombreuses fois te demander de libérer Aqualon pour fabriquer cet attelage et c'est là un grand danger. Au tout début, il était très petit et mignon et se tenait dans la paume de ma main. Maintenant, c'est un dragon puissant, qui veut vivre sa vie et respirer le grand air comme toutes les créatures de la planète. Tu dois le contrôler, le garder caché tant et aussi longtemps que les autres porteurs ne sont pas ici. Est-ce que tu comprends cela?

— Mais, mon oncle, répondit la sirène, nous nous ennuyons. Et puis, les marins, il n'y en a presque plus qui parcourent l'océan. On se désennuie comme on peut.

Flavie allongea un sourire et dit :

— Eh bien! Dans ce cas, vous serez heureuse d'apprendre que vos parents préparent un bal. D'après ce que j'ai compris, ce sera un très grand bal.

— Pour quelle raison, ma tante? demanda Lolia.

— Eh bien, je ne sais pas trop, répondit Flavie en cherchant dans sa tête la raison évoquée par Poséidon. Je crois qu'il n'y a pas eu de soirées élégantes depuis très longtemps au palais Émeraude. Votre père a le goût de festoyer.

— Mon père est un pingre notable, il lui faut une bonne raison pour faire un bal, affirma Bibiane en réajustant ses lunettes. Il n'a pas sorti son équipage d'hippocampes depuis bien des années. Auparavant, il les sortait souvent et nous faisions des tours avec lui. C'était très agréable. Ce matin, nous en parlions justement de son char qu'il a fait construire, il y a de cela quelques années. Eh bien, il ne s'en est jamais servi. Il est toujours garé à la même place dans sa belle hippogare royale.

— Justement, ça me fait penser, répliqua Ramon, il veut organiser un concours de chevauchée d'hippocampes.

— Peuh! Un concours. Trop peu, trop tard. Ma sœur Bibiane a raison, répliqua Sophaline en brossant ses cheveux. Nous n'y allons pas si nous n'obtenons pas une raison convaincante.

— Voilà une façon étrange de réagir à une invitation, dit Ramon. Votre père avait le goût de festoyer. Il a prévu une nourriture abondante et recherchée : du homard, des crevettes, du crabe et bien d'autres choses.

— Justement, ça ne lui ressemble pas, affirma Mirlane.

— Mais à la fin, vous devez respect et obéissance à votre père. Il a promis une course d'hippocampes, s'impatienta Flavie.

Ce n'est pas rien. Il veut que vous retourniez à la maison.

Les sirènes partirent à rire. Les hippocampes étaient mille fois moins excitants qu'une chevauchée sur le dos d'un dragon. Leur réaction démontrait clairement qu'elles n'iraient pas à ce bal, peu importait la raison, valable ou pas. Ramon n'aimait pas du tout leur désinvolture.

— Je vois, vous vous êtes entichées d'Aqualon. Il est le seul qui peut vous divertir. Voyons, mes jolies sirènes, mes nièces, dit Ramon, votre père se faisait une telle joie de vous offrir un bal.

Elles se regroupèrent et se mirent en boule pour discuter sans être entendues. L'une d'elles chuchota aux autres :

— Qu'est-ce qu'on fait ? Il a tout deviné. Ah, ces humains ! Ils ne sont pas bêtes.

— Jouons le jeu, dit Imarène. Rendons-nous près de la résidence de nos parents, mais… juste avant d'arriver, nous repartirons. Ils vont sûrement nous observer à partir de leur barque. Ils ne s'apercevront de rien. À nous les chevauchées dans le ciel !

— Ah oui ! Excellent plan, dit Zoé. D'ailleurs, il est temps de retourner à l'eau, mes jambes me piquent.

— Moi aussi, gémit Sophaline. Ça me grattouille.

Elles se relevèrent toutes frétillantes, se jetèrent à l'eau et dirent en chœur :

— Nous acceptons de rejoindre nos parents à l'instant même.

Elles furent étonnées de ne pas lire une joie débordante sur les visages de leurs parents adoptifs. Au contraire, le doute se lisait sur leur visage. Flavie mit fin à leur bonne humeur lorsqu'elle annonça :

— Nous vous accompagnons.

La mâchoire des neuf sirènes se décrocha lorsqu'elles les virent se transformer, l'un en triton, l'autre en femme-poisson.

CHAPITRE 12

LES SVPPOSITIONS

Arméranda se réveilla peu de temps après s'être endormie. Une idée la tracassait et l'empêchait de dormir. Quelque chose clochait. Depuis qu'elle avait mis les pieds sur cette terre, la boussole ne fonctionnait pas, la lune ne brillait plus et la pluie ne tombait pas. Il devait y avoir un lien. Était-ce possible que le champ magnétique soit perturbé au point de déranger sa boussole, de cacher la lune et d'empêcher la pluie de tomber?

Son père tirait une grande satisfaction à observer cet astre nocturne et les étoiles.

Pour lui, la lune était une source de renseignements sur les gestes à poser dans les jours prochains. Elle se souvint de son rituel avant de se coucher. Il contemplait le ciel même lorsque celui-ci était couvert et sombre. Lors de soirées sans nuages, il pointait son doigt en lui révélant les secrets de cet astre :

— Regarde Arméranda, le croissant est pâle. Demain, il y aura de la pluie.

Ou encore, il lui faisait remarquer :

— Ce soir, la lune est brillante et blanche, il fera beau plusieurs jours. Excellent temps pour chasser le gros gibier et, pour toi, rechercher de petits fruits.

Ou encore :

— La lune est brouillée, de la pluie assurée, du mauvais temps pour un bon bout de temps. Bah ! On relaxera. On ne manque de rien.

Oui, elle aimait ces beaux moments passés avec son père. Ses prédictions fonctionnaient à tout coup. La lune était un élément essentiel dans leur quotidien. Elle dictait ce que son peuple devait entreprendre le lendemain ou les jours suivants. Il devait en être ainsi aussi à la Terre d'Achille. Une force les privait de sa visibilité et de son influence. Elle était la cause de tout ce chamboulement climatique. Elle voulait partager son questionnement maintenant avec ses camarades. Elle brassa tour à tour Andrick et Nina. Elle eut toutes les peines du monde à les réveiller.

— Quoi ? bougonna Andrick. Laisse-moi dormir, Nina ! Parce que demain, je vais te chauffer les fesses.

Il crut que c'était sa sœur qui déconnait et qui lui jouait un tour. La jeune cavalière secoua la jumelle. Elle aussi se montra très peu coopérative. Elle plia son oreiller autour de sa tête et se mit en boule. Arméranda recommença son manège en remuant l'un et l'autre.

— Hé, hé, réveillez-vous tous les deux ! chuchota-t-elle.

— Mais à la fin, Arméranda, qu'est-ce qu'il y a ? demanda Nina pas du tout contente de se faire tirer de son sommeil.

— J'ai quelque chose d'important à vous dire.

Cette fois-ci, elle était réveillée et s'assit sur son matelas posé au sol. Andrick souleva une paupière et ne remarqua rien d'anormal.

— Il n'y a pas de feu, pas de dégâts d'eau, affirma Andrick. Laisse-moi dormir. Je faisais un si beau rêve. Je chevauchais les vastes plaines d'une contrée fabuleuse sur un magnifique dragon blanc. Hum...

Il se recroquevilla. Elle le brassa avec plus d'énergie. Il ne broncha pas. Elle lui chatouilla la plante des pieds avec une plume.

— VOUS ÊTES AGAÇANTES! cria Andrick. JE VEUX DORMIR.

— Chut! chut! Je ne veux pas réveiller les autres, dit-elle.

— Sauf nous, murmura Nina en se lamentant et en se frottant les yeux.

Arméranda regarda autour d'elle. Adora, Inféra, Picou et Waldo semblaient dormir. Elle attendit un peu avant de poursuivre :

— Il y a quelque chose qui me tracasse.

— Oh! ironisa Andrick, quelque chose qui te tracasse et tu nous réveilles pour ça. Bravo!

Il applaudit silencieusement. Il reprit sa couverte et se roula dedans.

— Gros bêta, fit la cavalière en le brassant. Je te dis qu'il y a quelque chose qui cloche dans les explications de la lune cachée.

— Ouais, ouais, dit la jumelle en imitant son frère, on verra ça demain.

— Demain, il sera trop tard!

Son urgence ne les convainquit nullement.

— Arméranda, je suis fatiguée et je veux dormir. S'il te plaît, laisse-moi dormir, clama le jumeau.

Elle ne se découragea pas face à leur indifférence. Elle secoua à nouveau Nina qui resta enroulée dans sa couverture. Elle poursuivit d'un ton calme :

— La Terre d'Achille semble avoir été très prospère, mais quelque chose a dû arriver et depuis, elle est devenue aride au fil des années. La lune que nous aimons contempler ne brille plus. Pourtant, partout ailleurs, elle est là. Elle régularise le beau et le mauvais temps. Lorsque nous étions à la Terre des Elfes, la lune brillait, de même que chez les Erdluitles et chez nous au Dorado. Drôle de coïncidence, il n'y a plus aucune pluie depuis que la lune n'est plus là. Et puis, ma boussole… elle est devenue folle. Elle indique un nord changeant comme si le champ magnétique était détraqué et se mouvait. Comment expliquer ces phénomènes si localisés ? Je ne pense pas que le diamant bleu ait ce pouvoir de régler le champ magnétique, la visibilité de la lune et la pluie. Ce n'est pas un petit diamant posé au front d'une statue qui va arranger les choses. La lune est toujours là, mais nous ne la voyons pas.

Cette fois-ci, Andrick se redressa.

— Mais oui, conclut-il. Je ne m'étais pas attardé à ce que tu dis. Tu as parfaitement raison.

— Ma boussole va dans toutes les directions. Il y a comme un autre champ magnétique situé seulement au-dessus de ce territoire. Je n'y vois qu'une explication. Il y a un magicien qui a jeté un sort et qui obscurcit la vision de la lune, et seulement au-dessus de la Terre d'Achille.

— Ce n'est pas de la magie, chuchota une voix grave.

Ils sursautèrent quand Picou s'approcha d'eux.

— Je n'ai pas pu m'empêcher de vous écouter. Vous m'avez réveillé.

— Oh! Pardon, dit Arméranda.

— Tes déductions ne sont pas si bêtes. Nous savons tous que la lune ne brille pas.

— Ah! s'exclamèrent les trois réveillés.

— Elle ne fait que refléter le soleil. Tes propos, Arméranda, m'ont fait réfléchir. Une force bloque la transmission de la lumière du soleil vers la lune et non de la lune vers nous. Et j'en suis venu à une autre conclusion que celle d'un autre champ magnétique.

— Ce phénomène est plus fort que le magnétisme naturel et que la magie, ajouta Picou. Il s'agit d'une malédiction d'une mauvaise divinité.

— D'une mauvaise divinité ? répéta Nina.

— Ce sont des anges déchus qui veulent revenir sur terre et régner. Les bonnes divinités les en empêchent. Toutefois, avec ce que je vois et j'entends, je crois qu'elles sont toutes affaiblies. Le terrain est très propice pour la venue de cette divinité maléfique. Les gens cherchent un dieu ou une déesse à prier. Il n'a pas été très difficile de proposer un autre avatar. Inféra a été immédiatement choisie et adoptée. Le temple de l'Absolu est déserté. Jusqu'à maintenant, seul le dieu du Soleil était vénéré. Je crains qu'un citoyen ait prié une divinité diabolique pour maintenir la lune obscure, et ça, depuis un bon bout de temps.

— Et notre magie, peut-elle contrer les effets maléfiques de cette divinité ? demanda Andrick.

LE DIAMANT DE LUNE

Picou devint songeur et ajouta :

— Je crains que non. De mémoire, un
démon a déjà visité Dorado. Un enchanteur
l'a fait venir et lui a fait traverser les portes
de l'enfer.

— Oh! de dire en chœur les jumeaux et
Arméranda.

— Ma mère m'a raconté maintes fois
cette histoire en nous avisant de ne pas sombrer comme lui du côté de la mauvaise
magie. Je n'ai jamais trop cru à cette histoire.
Il doit y avoir du vrai puisqu'elle insistait
pour qu'on l'écoute. Donc, il y a fort longtemps, un des enchanteurs, croyant au côté
puissant de la magie sombre, a construit un
autel pour implorer le démon dans le but
d'obtenir plus de pouvoirs. Tous les soirs, il
allumait six bougies noires et priait pour sa
venue. Un soir, le prince des Ténèbres lui est
apparu. L'enchanteur s'est plaint qu'il était
malheureux du fait qu'il n'était pas le magicien le plus puissant. Cela le désolait énormément. Il souffrait de n'être qu'un magicien
minable. Le diable lui a assuré qu'il n'y avait
rien de plus facile. Il suffisait de signer un
pacte et il lui transférerait des pouvoirs sur-
naturels. Hélas! en l'implorant, il a ouvert un
portail d'entrée et les portes de l'enfer. Par

bonheur, Brasen, un des plus puissants enchanteurs de notre confrérie, a eu vent de l'arrivée de cet être diabolique. Il a réussi à limiter les dégâts en détruisant le portail et en refermant les portes de l'enfer. Sinon, la vie n'aurait jamais été comme nous la connaissons actuellement. Ce prince des Ténèbres n'appréciait qu'une chose : le mal. Nous aurions connu des tourments éternels et la vie serait devenue un enfer. Sauf que le démon était bel et bien à Dorado. Il avait réussi à passer le portail avant qu'il soit détruit.

Picou arrêta son récit comme perturbé. Nina lui chuchota :

— Et ensuite ?

— Il a payé cher ses invocations à cette divinité. Le lendemain, il était méconnaissable. Le démon avait prit possession de son corps et le transformait à son image. Notre enchanteur crachait du feu et, à certains moments, il parlait dans une langue incompréhensible. Lorsqu'il était en colère, il hurlait comme un loup. Il s'appelait le seigneur des mouches, mieux connu sous le nom de Belzébuth. Pour se débarrasser de cet être maléfique, Brasen a usé d'une ruse. Il lui a demandé s'il pouvait se changer en mouche.

Celui-ci a bien rigolé. Quoi de plus simple que de se métamorphoser en mouche? Une fois transformé, il lui a offert du miel. La mouche s'est directement jetée sur ce liquide sucré et là, il a aplati la mouche de sa main, tuant ainsi l'enchanteur.

— Oh! se chagrinèrent les trois auditeurs.

— C'est pourquoi je vous ai dit qu'il avait payé cher ses invocations. Si c'est le cas, demain, il nous faudra trouver un indice. Ce démon est-il sur le territoire? Si oui, qui le prie? Il vient peut-être de se réincarner. Ou peut-être, je me trompe. Je préfèrerais me tromper, ce serait plus rassurant.

— Mais, où chercher? Nous sommes en terrain inconnu et on ne connaît personne, dit Nina.

— Je sais. Il faudra être doublement attentif. Peut-être chercher des réponses auprès de notre hôtesse. Mais pour l'instant, dormez, nous avons besoin de sommeil! statua Picou.

Ils acquiescèrent et après de longues minutes angoissantes à avoir des images terrifiantes d'un diable crachant du feu, ils s'endormirent. Le seul à ne pas dormir fut Waldo. La longue conversation du groupe

l'avait réveillé. S'étant assuré que tous ron-
flaient paisiblement, il sortit le diamant bleu
de la pochette. Son éclat bleuté fluorescent le
séduisait. Il avait écouté un bout de la
conversation et compris quelques bribes.
Lorsqu'Arméranda déduisit que l'absence du
diamant bleu sur la statue n'était peut-être
pas la source des malheurs sur le territoire et
que sa restitution pourrait ne rien régler,
cette explication le rassura. Après tout, peut-
être pourrait-il le garder ? Cette pierre était
si belle. Il la retourna sur toutes ses facettes.
Dans la pénombre des lieux, elle brillait,
puis elle se mit à rougir et à siffler. Vite, il la
remit dans la pochette. Il avait noté que dès
qu'il la remettait dans le petit sac accroché à
sa ceinture, elle cessait de chauffer et de siffler. Heureux de cette possession, il prit la
décision de la garder à tout jamais. Ce serait
son secret. Il s'endormit.

CHAPITRE 13

L'ANGE DÉCHU D'ASU

Depuis trois générations dans la famille d'Asu, on implorait une autre divinité que le Soleil et la Lune. Jusqu'à ce jour, tout avait fonctionné à merveille. La lune ne brillait plus depuis 963 lunes, soit un peu plus de 74 ans. Et voilà qu'une petite troupe s'amenait dans la ville et causait tout un chaos. Asu en était heureux et malheureux. Heureux, car il serait bientôt l'avatar d'une divinité supérieure à l'Absolu et malheureux, car il ne se sentait pas fin prêt pour mettre à exécution son plan final. Par bonheur, sa divinité le rassurait depuis plusieurs mois. Elle lui indiquait que le temps était venu et que le peuple cédait de plus en plus au désespoir.

Accroupi devant un autel constitué d'une planche horizontale et de deux grosses roches, il priait avec ferveur sa divinité tous les samedis soirs. Comme pour son père et son grand-père, dès ses premières prières, cette entité lui était apparue sous le nom de Belzébuth. Depuis quelques mois, il avait intensifié ses oraisons jaculatoires. Son dieu semblait réceptif à sa dévotion. Il maintenait obscur le reflet de la lune et la pluie ne tombait plus. D'ici un ou deux mois, il espérait que son dieu renverse ce phénomène et que la pluie revienne. L'oasis se réduisait un peu plus chaque jour. Elle n'était plus aussi nourricière qu'auparavant. La foule était amaigrie. Seuls lui et Nergal étaient les plus en chair à Nagal grâce à l'exercice de son métier et à la dîme de son maître.

La conversation avec Nergal l'avait excité. Pour la première fois, il sortit sa cape et la jeta sur ses épaules. Bien qu'inachevée, le motif d'un soleil était facilement identifiable. Sa table était placée dans le coin nord de la maison. Il la recouvrit d'un drap rouge, la couleur préférée de son prince. Puis, il disposa les 12 paniers en cercle autour de lui.

Entre-temps, Nergal habillé tout de noir se dirigeait pour la seconde fois vers la résidence d'Asu. Il était en furie et portait sur lui un poignard qu'il pensait enfoncer, dès qu'il en aurait la chance, dans la poitrine du prêtre. Il n'était qu'à quelques pas de la propriété. Tout doucement, il s'en approcha. Il ouvrit la porte délicatement et entra dans la demeure.

Asu ouvrit les paniers avant de s'adresser à sa divinité. Les cobras étaient encore tout endormis et restèrent au fond. Sur son autel drapé d'un tissu rouge, il aligna six chandelles noires en rond. Il les alluma. Il se recueillit quelques instants avant de s'adresser à son dieu :

— Belzébuth, mon prince ! J'implore votre venue.

En peu de temps, il apparut devant lui. Il hurla de frustration :

— QU'EST-CE QUE TU ME VEUX ? DEUX FOIS DANS LA MÊME SEMAINE, C'EST UN PEU TROP !

C'est en entendant cette voix rocailleuse et terrifiante que Nergal se dirigea vers le chambranle de la porte de la pièce suivante.

Caché, il frissonna en apercevant cette créature hideuse et semi-transparente. Elle avait le corps d'un humain tandis que sa tête et ses bras avaient l'apparence d'une mouche. Normalement, cet homme-insecte l'aurait fait fuir, mais l'enjeu valait la peine d'observer ce qui se passait.

— Cher prince, votre temps est venu. Votre règne est enfin arrivé. Les gens ont soif et ont faim. Faites en sorte que la pluie tombe sur nos terres et que le sol soit à nouveau vert et prospère. Je serai votre avatar pour que votre peuple soit tout à vous.

— Qu'est-ce que tu veux insinuer, charognard?

— Je vais vous représenter auprès de vos fidèles. Je serai votre avatar. Ceux-ci comprendront ô combien les prières envers vous apporteront la joie de vivre. Nous érigerons un nouveau temple en votre nom, ô mon grand prince, ô Belzébuth! Un temple mille fois plus beau que celui de l'Absolu. Vous verrez que je serai un bon avatar.

— Je n'ai pas besoin d'un avorton.

— D'un avatar, mon prince, d'un avatar.

— NON, JE N'AI BESOIN DE PERSONNE, SURTOUT PAS D'UN AVORTON! cria-t-il.

Il fut surpris par sa réaction agressive et disproportionnée. Pourquoi sa divinité ne comprenait-elle pas le rôle de l'avatar ? Toute divinité devait avoir un représentant. Pourquoi le traitait-il toujours d'avorton ? Son dieu ne semblait pas comprendre tous les sacrifices que ses parents et ses grands-parents avaient endurés pour qu'un jour leur petit-fils ne soit pas un simple prêtre, mais un grand Naga. Soudain, il se rappelait ses 12 cobras. Il avait manigancé l'obtention de ces précieux reptiles auprès des soldats pour qu'il en ait la garde cette nuit. « Je le fais pour notre maître », avait-il dit. Il voulait tellement impressionner son prince avec ces acquisitions.

— Regardez, mon prince, j'ai les 12 najas sacrés. Ils sauront vous protéger. Le peuple vous craindra et vous obéira.

La créature partit à rire, d'un rire démoniaque.

— PROTÉGER DE QUOI ? JE SUIS IMMORTEL, TU N'AS DONC RIEN COMPRIS, IMBÉCILE ? D'un autre côté, tu as raison. Ma venue est attendue et pour me faire entendre, il me faut un corps, une possession.

De faibles sifflements se firent entendre. Nergal reconnut ce bruit. Les cobras se réveillaient. Il voyait bien que son prêtre connaissait mal le comportement des cobras. Tôt au tard, ils allaient se dresser, souffler, siffler et attaquer. Ces cobras étaient en liberté. Convaincu que ses gardes étaient là, il zieuta davantage les lieux dans la pénombre. Quelle ne fut pas sa surprise de découvrir les 12 najas sans leurs gardes ! C'était de la folie pure. Chaque naja devait être surveillé et contrôlé par une personne expérimentée. Les gardes étaient instruits dans cet art de dressage de génération en génération, de père en fils. Ils portaient sur eux de petites flûtes dont ils jouaient pour les calmer et les faire dandiner de façon inoffensive.

La créature gronda et cracha du feu. Asu commença à trembler. Le prince n'avait jamais été aussi menaçant que ce soir. Il ne comprenait pas la signification de possession. D'une voix vacillante, le prêtre lui transmit ses impressions concernant son maître :

— Notre grand Naga se croit encore un grand avatar, mais ses jours sont comptés, car le peuple est affamé et se détournera de lui. Il ne se tournera pas vers la déesse de la Lune. Elle est plus faible que lui. Une petite rousse venue d'ailleurs est apparue dans le décor. Ce ne sera pas elle qui ressuscitera chez eux leur dévotion. Quant à l'Absolu, son temple est déserté depuis longtemps. L'œil de l'Absolu n'est plus vénéré. Plus personne ne le prie. Un vent de changement souffle sur le pays. Nul autre que vous ne peut combler ce vide actuel. Votre temps est arrivé. Je serai là pour vous servir, mon prince !

Belzébuth ne ressentait aucune attirance pour ce prêtre au dos voûté, sans envergure et à la chevelure graisseuse. Il voulait un corps exprimant la force et le respect, un homme beau et grand. Celui-ci était vieux et déformé par l'âge et la graisse.

— TU VEUX DIRE QUE TON TEMPS EST FINI ! fit-il en ouvrant ses deux bras. REGARDE AUTOUR DE TOI !

Ne comprenant pas l'allusion, il examina les lieux et vit les 12 cobras bien dressés et sifflants. Une seconde plus tard, Asu se tordit de douleurs. Il était piqué à mort par ces serpents. Belzébuth rit et s'évapora dans l'air ambiant à la recherche d'une âme. Pour l'instant, il se contenta du corps d'un serpent.

Heureusement pour Nergal, Belzébuth ne l'avait pas vu. Tremblant, il comprit qu'il n'avait plus de gardes, ni de cobras ni de prêtre. Il se sentit aussi nu qu'un ver sans ses protecteurs et son entourage. Il était maintenant un citoyen ordinaire. Sa vengeance avait été réalisée sans qu'il ne lève le petit doigt et pourtant, il comprit que cette mort ne le favorisait pas. Ce Belzébuth était à la recherche de pouvoir et d'une possession. En attendant, la déesse de la Lune allait reprendre du service, et ça, il ne le voulait pas. Il désirait ardemment que son peuple l'implore et le prie. Discrètement, il s'éloigna des lieux.

Un peu plus loin, le peuple fêtait le premier sabbat dans le temple de la Lune. Des milliers de bougies illuminaient les lieux et répandaient un parfum rassurant. Les Nagaliens priaient avec ferveur pour cette déesse tombée presque dans l'oubli. Ils ignoraient la venue d'une nouvelle divinité maléfique à quelques pas de leur lieu de dévotion et que de nouveaux événements allaient bouleverser leur vie. Quoique la déesse n'ait pas recouvré sa pierre, le peuple se sentit sous sa protection. Demain, l'Imbolc serait la consécration de la nouvelle Nagi.

Purnima et Ashia se tinrent à côté d'Inféra et l'assistèrent durant la messe. Elles lui indiquèrent les gestes et les prières à dire. Sa voix mélodieuse enchantait la foule. Les fidèles furent compréhensifs pour ses petites bévues de débutante et la longueur de la cérémonie.

Bien malgré elle, l'empathie démontrée à cette Nagi serait de courte durée. Ce que redoutait Inféra se matérialiserait dans les jours suivants. Un élément essentiel à la vie mettrait un terme à leur amour spontané pour ce nouvel avatar et cet amour se transformerait en haine.

CHAPÍTRE 14

VΠE MORT ÍΠSOLÍTE

Ce soir, ce sera le premier esbat de la nouvelle Nagi. Nergal savait qu'il fallait faire vite. Il devait faire cesser immédiatement cette pratique. Parfaitement remis des émotions de la veille et de l'horreur que son prêtre avait subie, il fit un peu avant l'heure du midi un tour prudent dans les environs en revêtant un habillement commun comme celui de son peuple. Il constata par une fine ouverture sur le côté de la résidence que la troupe était réunie chez Purnima. À sa grande joie, tout était silencieux et calme. Les étrangers, Purnima et sa famille dormaient dans une même salle, à même le plancher.

Enfin, leur heure était arrivée. Il suffisait d'entrer dans la demeure et de les empoisonner un à un grâce à un élixir fait de venin de cobras qu'il conservait précieusement dans un coffre sous verrous chez lui. Ce venin était plus pratique et le coffre, plus portatif que le transport de 12 cobras. Une seule goutte versée sur la bouche suffisait à vous faire sombrer de l'autre côté. L'acidité de ce produit provoquait un échauffement et le receveur de ce poison avait le besoin brûlant de passer sa langue sur sa lèvre enflée. En quelques secondes, le venin accédait au système digestif, puis au système sanguin. Inévitablement, la mort survenait après d'affreuses souffrances.

Il sonda la porte d'entrée : elle était sous loquet. Il contourna la demeure et trouva une fenêtre accessible. Pour s'aider, il déposa quelques pierres à la naissance du mur. Il allait glisser un pied à l'intérieur lorsque le ciel s'obscurcit. Un vent frais et puissant se leva. La température s'abaissa. Intrigué, il resta à l'extérieur et s'avança à l'avant de l'habitation. Une ombre aux abords arrondis couvrait une mince partie du soleil. D'un rythme lent, elle balayait le disque solaire et vint à le cacher totalement. Le soleil avait disparu. Une silhouette noire le recouvrait et seule la couronne de l'astre diurne était visible. L'obscurité était maintenant complète. Il fit presque aussi noir que dans le fond d'une mine sans lumière et la chute subite de la température fit grelotter Nergal.

À l'intérieur, le froid soudain réveilla les dormeurs. Tenant une chandelle allumée, Purnima arriva en vitesse dans la pièce où se trouvaient les chevaliers du Pentacle. Confondant l'heure à l'horloge de la salle principale indiquant midi et non minuit, elle cria :

— IL EST MINUIT, RÉVEILLEZ-VOUS ! NOUS AVONS PASSÉ TOUT DROIT. C'EST L'HEURE DE L'ESBAT. Vite ! Les fidèles nous attendent.

À moitié endormis, tous se levèrent et parvinrent à marcher vers la sortie. Dehors sur le palier de l'entrée, tout était irréel. Un froid vivifiant les ragaillardit. Les gens se tenaient debout et regardaient la voûte céleste obscurcie.

— Une éclipse, dit Picou.

— Une éclipse, répéta Purnima. Incroyable ! C'est le retour de la lune. Ce ne peut être que LE RETOUR DE LA LUNE puisque lors d'une éclipse, c'est elle qui passe devant le soleil. NOTRE DÉESSE EST DE RETOUR !

Elle sautilla lourdement en tenant à deux mains son ventre proéminent. Sa grossesse l'empêchait d'exprimer davantage sa joie. Elle embrassa à maintes reprises ses enfants et son mari. Elle aurait voulu serrer dans ses bras la nouvelle Nagi et le reste de la troupe, mais en s'approchant, elle vit qu'ils restaient là, figés, comme si tout cela était normal. Elle comprit la raison de leur attitude lorsqu'Arméranda affirma :

— Dame Purnima, durant mon sommeil, une idée me trottait dans la tête et m'a réveillée. J'ai ensuite réveillé Nina, Andrick et Picou. Nous sommes arrivés à la même conclusion. La lune ne vous a jamais quittée, elle était tout simplement invisible sur vos terres. Partout ailleurs, nous pouvions la contempler. Elle a toujours été présente sauf qu'une force l'a masquée.

Purnima resta interdite. Elle fixa quelques secondes le soleil qui réapparaissait. Pendant un court instant, le disque solaire avait disparu de la vue par le balayage d'un corps lunaire. Depuis des années, tous s'accordaient à dire que l'astre nocturne s'était absenté et voilà que l'énoncé d'Arméranda contredisait cette théorie. La lune ne les avait jamais quittés. Ashia arriva sur les entrefaites.

— Salut Ashia! Grâce à nos invités, je viens d'apprendre que la lune ne nous a jamais quittés. Comment ai-je pu être aussi sotte? se questionna l'ex-Nagi. Bien sûr que vous avez raison. Toutes ces années, j'ai cru qu'elle nous avait abandonnés. Elle ne nous a jamais quittés. Pourquoi n'était-elle pas visible? Nergal doit connaître la réponse. C'est sûrement lui qui a comploté un sortilège ou je ne sais qui d'autre!

— Ou peut-être son prêtre, suggéra Andrick.

— Très bonne suggestion, conclut Ashia. Il ne croit pas à la médecine naturelle par les plantes. Il croit à des forces suprêmes. Peut-être a-t-il imploré une nouvelle divinité, maléfique?

Nergal, qui était tout près d'eux, entendit la conversation. Caché derrière une clôture basse, il se trouvait ridicule et impuissant, maintenant que l'éclipse était finie. Le soleil luisait de tous ses rayons. Il suffirait du regard d'une personne du groupe à quelques pas, d'un simple coup d'œil en sa direction et il serait démasqué. Lui, l'avatar du soleil, se cachait derrière un mur de pierres pendant que la lune faisait ombrage au soleil. Il courait à la catastrophe. Si quelqu'un le découvrait ainsi, accroupi derrière une clôture et dans des vêtements communs, il serait la risée de son peuple. Comment se sortir de ce pétrin et surtout comment expliquer ce phénomène sans avouer que la lune avait toujours existé alors que lui-même avait prétendu que la lune n'existait plus ? L'invisibilité de la lune l'avait bien arrangé jusqu'ici. Et puis, son prêtre n'était plus là. Ses ancêtres avaient invoqué une autre divinité et masqué la vue de la lune. Il était mort par excès de naïveté. Son Belzébuth n'avait pas besoin de lui, ni des cobras sacrés. Il ne possédait aucune preuve de ce qu'il avancerait pour se disculper. Le coupable était mort. Impossible de s'en sortir élégamment. Il ragea en espérant que personne ne le voit. Malheureusement, le soleil éclairait les lieux. Il fallait une diversion. « Pense vite », se dit-il.

Par bonheur, la foule se déplaça vers la place publique pour mieux suivre le phénomène, près de la grande tente du marchand de limonades. Nergal se réjouit. Le peuple se

regroupait et s'éloignait de lui. Il vit Ashia,
Purnima et sa famille les accompagner. La
troupe du Pentacle fit de même. Elle se mit
en branle et fermait la marche.

Waldo éprouvait une douleur à la
hanche. Il reconnut la chaleur du diamant
de Lune. Il resta près de l'entrée pour le
regarder, loin des regards de ses compagnons. Se penchant pour prendre la pochette
à sa ceinture, il remarqua Nergal à califour-
chon observant le déroulement inattendu de
cet événement. Il ne portait pas attention à
l'Elfe. Il suivait des yeux le mouvement de la
foule. L'Elfe frissonna. Il craint qu'il ne fût là
dans le seul but d'accomplir une action
funeste. C'est alors qu'il eut une idée. Il retira
la pierre qui rougissait et sifflotait plus que
d'habitude. Il crut qu'elle lui disait qu'il était
grand temps de se débarrasser d'elle pour le
bien des Nagaliens. Sans trop comprendre ce
qui le poussait à agir ainsi, il la lança aux
pieds du grand Naga en espérant qu'il la
prenne. Si la légende disait vraie, une malédiction s'abattrait sur le détenteur de cette
pierre et mettrait peut-être ainsi fin à l'aridité qui touchait la Terre d'Achille depuis
trop longtemps.

Elle émit un son clair en atterrissant à ses pieds. Intrigué par ce bout de roche rouge, Nergal le prit. Il ne se doutait pas que cette gemme rouge était le diamant de Lune. Cette pierre chaude siffla comme ses cobras. Il en fut charmé. Son enchantement fut de courte durée. Un arc lumineux fendit le ciel et vint terminer sa course dans la main de celui qui tenait le diamant. Au contact, il se redressa aussi raide qu'une corde avant de s'écrouler. Puis, il retomba au sol comme une poupée échouant au bas du lit. Le tonnerre fit son roulement de tambour et les têtes se retournèrent en direction d'une fumée noirâtre et puante qui s'élevait près de la maison de Purnima et de cris atroces qui provoquaient la chair de poule.

En tombant, la fiole dans son sac, qu'il tenait à la main, éclata au contact de la terre. Le liquide se répandit sur lui et lui brûla les mains et le visage en dégageant un panache de fumée. Il eut beau crier, le sort en était jeté. Après quelques longues minutes de souffrances insupportables, Nergal s'éteignit.

Les gens arrivèrent sur les lieux et plusieurs crièrent de répulsion en constatant un cadavre affreusement déformé. Purnima fendit le groupe et s'approcha de l'être foudroyé. Elle émit un cri de dégoût et se retira. Puis, ce fut Ashia qui s'avança et chercha à connaître l'identité de la personne décédée. Ses vêtements étaient partiellement brûlés et le corps, affreusement ravagé par le venin. Elle reconnut les sandales en cuir blanc et orné d'un soleil sur le devant. Un seul avait ce type de sandales. Elle déclara d'une voix empreinte d'émotions :

— Nergal est mort. Il faudra aviser son prêtre Asu pour des funérailles convenables et le nouvel avatar, Nayan, le fils de Nergal.

Nayan était le plus vieux d'une famille de quatre enfants. Il était le seul fils de Nergal. Tous connaissaient son caractère doux et studieux et il n'aspirait nullement au rang de divinité. Kavin offrit de les aviser. Son offre fut acceptée. Il courut vers la résidence de Nergal.

Entre-temps, le ciel s'était assombri à nouveau. Des cumulus noirs survolaient le firmament. Les Nagaliens réagirent comme d'habitude à la vue de cette couverture nébuleuse. Ils ne les regardèrent même pas. Ces nuages allaient passer, déverser leurs eaux sans atteindre le sol. Tout à coup, la foule se mit à chanter et à danser. Ce n'était pas les paroles de la prêtresse annonçant la mort de Nergal qui les firent réagir ainsi, mais la pluie. Il pleuvait. Elle commença timidement comme les premiers pas d'un enfant, puis elle prit un bon rythme.

En cette journée de la 964e pleine lune d'absence, la sécheresse prenait fin. Les têtes du peuple se remplirent d'images que beaucoup d'entre eux n'avaient jamais vues. Leurs ancêtres et les plus vieux leur avaient parlé d'une nature florissante à Nagal d'antan. Enfin, ils pouvaient rêver à la venue des beaux jours où l'eau sera abondante et les plantes croîtront fortes et généreuses. Bientôt, l'herbe poussera, le blé ondulera, les fleurs parfumeront les lieux et les arbres grandiront offrant une infinité de fruits. Des hamacs pourront être accrochés aux troncs des arbres et la vie sera plus douce et moins misérable. Oui, c'était la fête! Des chants et des rires s'élevaient dans cette foule affamée.

La plupart des gens tiraient la langue pour recevoir cet élixir, d'autres coururent chez eux pour sortir tous les chaudrons, pots et autres articles pouvant emmagasiner cette eau. Elle faisait un joyeux tintamarre en rebondissant dans ces récipients vides.

Mue par cette joie et sous cette musique rythmée, la foule se dirigea vers le temple de la déesse de la Lune. Purnima prit les devants. En entrant dans le temple, quelle ne fut pas sa stupéfaction de constater que le diamant de Lune au front de la statue brillait. Elle en tomba à genoux et tous l'imitèrent.

— La pierre bleue est revenue. C'était donc lui qui l'avait, déduisit l'ex-Nagi.

Waldo voulut rectifier, dire la vérité. Les Elfes sont cupides, mais pas menteurs. Mais la foule ne lui donna pas la chance. Les gens criaient. Le peuple délirait. Waldo essaya tout de même et il cria :

— CE N'ÉTAIT PAS LUI QUI AVAIT LA PIERRE, C'ÉTAIT MOI !

Personne n'entendit son affirmation. Puis, Inféra se sentit saisie par des milliers de mains mouillées et on l'éleva au-dessus de la foule. Transportée par cette vague humaine, elle se retrouva au pied du trône. Les gens scandaient.

— Grande Nagi, grande Nagi, grande Nagi.

Elle aussi aurait voulu protester et dire qu'en vérité elle était une intruse et de fait, elle n'était qu'une porteuse de dragon. La frénésie était telle qu'elle comprit que ce n'était pas le temps de les décevoir. Elle fit ce que la foule lui indiquait. Elle monta les huit marches et s'assit au trône. Ashia la suivit et lui posa un diadème composé de 13 citrines représentant les 13 lunes annuelles. Puis, elle se retourna vers le peuple agenouillé.

— À minuit, ce sera l'esbat de l'Imbolc. Même si nous avons le cœur à la fête, il faudra attendre. Je propose que nous nous reposions et que la fête commence ce soir.

Il y eut des applaudissements et des cris de joie. La foule voulait fêter maintenant et elle resta collée à regarder la nouvelle Nagi. Ashia répéta l'ordre de se reposer. Ce n'est qu'à la quatrième demande que les gens se calmèrent et rentrèrent chez eux. Adora, qui était près de Waldo, saisit sa main.

— Qu'est-ce que tu as ? Tu es si pâle.

— Rien. Ce sont les émotions, dit-il en mentant.

Adora posa sa tête sur son épaule.

— Tu es tellement sensible, c'est pour cette raison que je t'aime, mon Waldo.

Il embrassa sa magnifique chevelure et se contenta de lui glisser un mot :

— Merci !

Soulagé que tout se termine ainsi, Waldo se promit d'être moins avare et de garder pour lui tout seul ce lourd secret qui allait le hanter au moins quelques centaines d'années : la possession de ce diamant bleu. Il avait eue cette pierre maudite sur lui trop longtemps. Il fut ravi de constater que le mauvais sort s'était jeté sur Nergal et non sur lui. En passant devant la statue de la déesse de la Lune, il crut remarquer un sourire et entendre un murmure rassurant :

— Sans toi, je ne serais pas ici. Tu as accompli le destin et je t'aiderai dans l'accomplissement de ta mission. Que les dieux te protègent !

Le fardeau du secret qu'il avait sur ses épaules s'envola et Adora nota le regard vif et lumineux de son compagnon, comme autrefois. Elle avait enfin retrouvé son Waldo, mais pas pour longtemps. Une ombre maléfique survolait les lieux à la recherche d'une enveloppe corporelle.

CHAPITRE 15

L'ÎMBOLC

Vers 20 h, Gulzar réveilla ses filles Adrika et Maiya et ils se rendirent à la pièce principale. À la demande de son père, Adrika réveilla Nina et Adora. Quant à Maiya, elle se contenta de babiller. Encore à moitié endormies, les deux demoiselles tirèrent du sommeil le reste de la troupe.

À ce moment, Purnima rentra dans la maison. Elle semblait épuisée et dévastée. Elle s'assit sur une chaise et contempla son ventre bedonnant. L'image de cette femme souffrante portant un enfant émut Inféra. Comme elle, elle portait un nouvel être qui sera porteur de joie. Tout comme elle, elle espérait que le monde qui l'entoure soit meilleur. Mais comment dire à cette dame qu'elle n'était pas l'avatar tant attendu ? Elle ne voulait vraiment pas aller à la fête. Les deux filles vinrent se coller contre leur mère. Cette image l'apaisa. Toutes ses peurs se concentraient sur un dragon qui sommeillait en elle. Elle ne devait jamais céder à la panique et encore moins piquer une colère. La maîtrise de ses émotions l'épuisait tout comme cette future mère enceinte de plusieurs mois marchant péniblement et qui, pourtant, dégageait une confiance admirable.

Purnima se releva et annonça qu'elle allait se reposer quelques instants. Ses filles la suivirent. Aussitôt qu'elles disparurent de la pièce principale, Inféra s'agita et demanda :

— Mais qu'est-ce que je vais faire là ? Ils vont bien voir que je ne suis pas une divinité, ni un avatar. Ce n'est pas dans mes habitudes de mentir.

— Chut ! chuchota Picou. Parle moins fort. Nous n'avons pas le choix. Le peuple le croit et elle le croit. Tu ne peux pas les décevoir. Après la mort de Nergal et cette pluie qui les enchante, les Nagaliens n'ont qu'une idée en tête : fêter une divinité. Ils t'ont choisie, tu ne peux pas les décevoir.

— Cette pluie semble s'éterniser, constata Arméranda.

— Je crains qu'elle dure des jours et des jours, renchérit Picou. Si c'est le cas, la morosité va s'emparer de ce peuple et nous n'aurons pas d'autre choix que de fuir précipitamment.

— Ne pouvez-vous pas faire quelque chose maintenant ? demanda Inféra. Pas dans 10 jours, mais immédiatement. Je pourrais mettre la cape de l'invisibilité. Et hop ! je ne suis plus là.

Deux capes d'invisibilité existaient, une pour elle et une pour Adora. Grâce au génie du magicien Dévi Wévi demeurant à la Terre des Elfes, elles étaient beaucoup plus solides que les anciennes provenant de Dorado. Juste avant leur départ, il en avait fait cadeau aux deux porteuses de dragon.

— Non, surtout pas ! Je crains qu'il faille suivre le cours des événements encore un peu, recommanda Picou. Si tu disparais trop vite, nous serons vus comme des opportuns.

— C'est ce que nous sommes, dit Nina. Nous profitons de l'occasion et voilà qu'Inféra est l'avatar d'une divinité. Prisonniers, nous sommes devenus des héros. Nous manquons de courage et de…

— Chut! dit Adora, elle revient.

Purnima, en les voyant si groupés, eut un sentiment d'inquiétude. Elle pressentit qu'ils en savaient plus qu'ils voulaient bien en dire.

Quelques heures auparavant, Kavin avait annoncé la mort de son père à Nayan. Ce dernier demanda que son prêtre vienne le rejoindre chez lui pour procéder à la recherche des restes de son paternel et à son embaumement.

En atteignant la résidence, il remarqua la porte extérieure grande ouverte. Sur le palier de l'entrée, il cogna. Aucun mouvement, aucun son.

— Hé ho, cria-t-il. Y a-t-il quelqu'un?

Encore là, le silence. Il eut la prémonition que le prêtre était là, mais qu'il ne vivait plus. Ne voulant pas pénétrer seul et faire une affreuse découverte, il partit à la recherche de Purnima et Ashia.

Sous la pluie battante, elles pénétrèrent dans la résidence et prirent conscience du décès particulièrement pénible du prêtre du dieu du Soleil. Elles notèrent les 12 paniers vides des cobras et le petit autel. Elles comprirent qu'il priait un autre dieu. Quel était ce dieu ? Les cierges noirs et la nappe rouge furent deux indices leur indiquant qu'il s'agissait d'une divinité maléfique et qu'elle venait, grâce à Asu, de se matérialiser. Les traces des cobras se dirigeant au-dehors indiquaient une seule et même direction : le temple du dieu du Soleil. Ashia fut la première à remarquer une ondulation particulière d'un des cobras. Il rampait par bond.

— Tu vois, dit la prêtresse, la trace de ce cobra est différente des autres.

— Tu penses que l'entité serait dans un de ces serpents ?

— C'est une certitude.

La joie de Purnima, du fait que la déesse avait reconquis son diamant, s'assombrit soudainement. Cette révélation allait enténébrer les célébrations de l'esbat. Nayan allait sûrement reconquérir ses najas et l'un d'eux serait la réincarnation d'un démon.

— Nous devons l'annoncer à notre nouvelle Nagi. Il lui faudra de la force, car elle aura à affronter ce démon, dit Purnima.

— Sûrement pas ce soir, nous venons de vivre tant d'émotions !

— Tu as raison, prêtresse. Une chose à la fois. Nous devons préparer notre avatar au rituel de l'esbat.

Après un roupillon d'une demi-heure, Purnima revint d'un pas alerte vers la pièce centrale avec ses enfants et son mari. Elle trouva les chevaliers du Pentacle encore plus songeurs que l'instant d'avant. Elle perçut les pensées d'Inféra : elle ne voulait pas présider la cérémonie. L'ex-Nagi déduisit que la troupe exerçait sur elle une mauvaise influence. Croyant au don du discernement des nagaliens, le choix de l'avatar était incontestable et vrai. Il fallait la séparer de ses amis. Deux réalités se présentèrent à elle, soit que ses compagnons la laissent seule avec elle sans opposition, soit qu'ils s'opposent avec vigueur. Pour la deuxième éventualité, elle avait une solution. Depuis des siècles, une mixture de camomille, de fleur de passion, de mélisse et de valériane mélangée à du thé avait le pouvoir presque instantané d'endormir même les plus grands

insomniaques de ce monde. Mais auparavant, elle vérifierait la réceptivité de ses compagnons. Elle demanda :

— Chers invités, avez-vous bien dormi ?

— Très bien, dit Adora.

Les autres acquiescèrent d'un mouvement de tête.

— Il faut vous sustenter avant de se
rendre au temple de la Lune. Nous prenons
quotidiennement un repas à cette heure-ci et
c'est là notre repas principal, lorsque le
temps est plus frais.

Elle et ses filles préparèrent le repas
tandis qu'eux s'assirent au sol autour d'une
table basse et ronde. Elles empilèrent au
centre des crêpes, du fromage, de la confi-
ture de pêche, des noix, des ananas tranchés,
du lait de noix de coco et des œufs frits en
lanières. Il n'y avait ni ustensiles, ni assiettes.
Tout se manipulait avec les doigts. Ne
sachant que faire, la troupe attendit que les
hôtes se servent d'abord et les hôtes, pour ne
pas être impolis, attendaient pour leur part
que les invités se servent en premier. Il y eut
un malaise. Purnima rit. Elle s'accroupit près
de Nina et leur montra la façon de se
sustenter.

— Vous prenez un morceau de crêpe et, à partir de celui-ci, vous saisissez les aliments.

Picou, qui avait des bras trop courts et de petits doigts, se fit servir par Inféra qui se moqua gentiment de lui.

— Tu vois, tu ne peux te passer de moi, dit-elle.

L'abondance de la nourriture et les saveurs délicieuses les réjouirent et brisèrent leurs inquiétudes. Les enfants mangèrent avec appétit et en silence. Gulzar se léchait les doigts et en reprenait. Ce soir, les hôtes avaient cuisiné un menu beaucoup plus copieux et festif qu'à l'habitude. Durant ce moment calme, Purnima en profita pour faire sa demande :

— Moi et Ashia devons instruire Inféra sur ses devoirs de Nagi au temple. Nous ne disposons que de quelques heures. Aussi, nous avons besoin d'isolement et de recueillement pour accomplir les gestes annonçant la lumière. Nous allons célébrer le premier esbat dans un temple qui n'a pas été foulé depuis près de 75 ans. La cérémonie est d'une importance capitale. Voyez-vous une objection à ce qu'elle vienne seule avec nous ?

Inféra déglutit. Elle avait peur d'être
seule avec ces deux femmes trop entrepre-
nantes. Le jumeau comprit son affolement,
aussi, il suggéra :

— Est-ce que nous pouvons vous accompagner jusqu'à la porte ?

C'était une solution intermédiaire qui
paraissait convenable. L'ex-Nagi l'accepta.
Elle n'avait pas à préparer sa mixture pour
les endormir. De fait, la proposition l'enchantait. À leur réveil après avoir bu cette tisane
et après avoir constaté l'absence d'Inféra, ses
amis auraient vraisemblablement soupçonné
une intervention de sa part. Tout était pour
le mieux.

Une fois à l'intérieur, elle enseigna à Inféra
comment se tenir et parler à ses fidèles.
Inféra écoutait ses instructions d'une oreille
et n'arrêtait pas de se dire : « Je ne serai
jamais capable. Pourquoi Picou, Andrick et
Nina ne font toujours rien pour me sortir de
ce mauvais pas ? » Purnima lui posa sur la
tête le diadème de citrines tandis qu'Ashia
déposa sur ses épaules une cape bleue et,
dans sa main gauche, un nouvel accessoire

assez lourd. C'était un énorme sceptre en argent torsadé ayant sur le dessus une pierre blanche opaque au reflet bleuté iridescent. Avec toutes ces décorations, Inféra bougeait avec difficulté. À la demande de Purnima, elle réussit à monter une à une les marches en nommant les phases de la lune. Elle se surprit à ne pas accrocher le sceptre dans les marches et à ne pas faire tomber le diadème. Elle tourna sur elle-même et s'assit avec précaution sur le trône. La pluie tombait sur la toile au sommet de la pyramide et émettait un son lugubre.

— Est-ce que tu as tout compris, Nagi ? redemanda Purnima.

— Oui, oui… je crois. À minuit sonnant, je monte les huit marches en identifiant les phases de la lune, comme je viens de faire, et, au sommet, j'annonce que c'est l'esbat d'Imbolc.

— Oui, c'est très bien et ensuite ?

— Je me lève et j'ordonne à mes fidèles de s'agenouiller et de prier la déesse de la Lune pour qu'elle mouille nos terres.

Elle entendit Andrick et Nina rigoler, le profond soupir de Purnima et les applaudissements sarcastiques de Picou. Ils se tenaient à l'entrée du temple et pouvaient suivre la scène aisément. L'ex-Nagi était furieuse, elle leur fit signe de s'éloigner. Pour ne pas la vexer et notant qu'il n'y avait rien à redire de Purnima, ils se déplacèrent plus loin, près d'une habitation pour se protéger de la pluie. De là, ce fut impossible d'entendre quoi que ce soit.

Lorsque l'ex-Nagi la réprimanda pour son manque de respect envers la divinité, Inféra se reprit :

— Ouais, ouais, je sais ce que je dois dire.

Elle prit une grande inspiration et déclara d'une voix solennelle :

— Ô ma déesse de la Lune, fais en sorte que les marées s'harmonisent et apportent l'équilibre des fluides terrestres. Que la pluie apporte paix et réjouissance et que le soleil contribue par ses chauds rayons à faire pousser une végétation nourricière. Que l'œil de l'Absolu veille à un partage équitable entre des jours ensoleillés et de la pluie bienfaisante ! Qu'il en soit ainsi ! Ô ma déesse de la Lune.

Ashia poussa un soupir de soulagement et la complimenta :

— C'est parfait !

L'ex-Nagi aurait voulu la prévenir qu'un démon était en fuite parmi les mortels, mais sa Nagi ne prenait pas son rôle assez au sérieux. Elle se dit qu'elle ne devait pas la faire paniquer davantage et que la jeune dame devait se concentrer sur sa mission, celle de bien représenter la divinité. Purnima la rassura :

— Oui, c'est ça ! Tu étais excellente !

— D'accord ! Mais comme il pleut depuis quelques heures, ne faudrait-il pas changer les mots ?

Purnima faillit se fâcher et émit un grognement d'impatience. Son commentaire était totalement enfantin et irrespectueux envers la déesse. Elle se ressaisit et la tranquillisa :

— Il pleut maintenant, mais le soleil reviendra.

Inféra, de son côté, trouvait qu'elle avait la mèche un peu courte et qu'elle manquait de patience. Elle mit ça sur le fait qu'elle était enceinte et que le petit être à l'intérieur de son gros ventre devait lui demander beaucoup d'énergie.

— Ouais, ouais, après la pluie, le beau temps ! Je sais, marmonna-t-elle.

Purnima s'excusa et ajouta avec douceur :

— Il faut toujours implorer la pluie, tu comprends ?

— Oui, je comprends, dit-elle d'une voix mal assurée.

La pluie n'était pas toujours une bonne chose. Inféra aurait voulu lui dire qu'au Dorado, il arrivait qu'il pleuve au point que les rivières débordent et que les maisons soient inondées. Mais comme il n'y avait pas de rivière, peut-être que c'était un concept abstrait pour les deux personnes se tenant à côté d'elle.

— Bon, ce sera tout pour l'instant, tu peux redescendre.

La descente fut difficile. Comme il fallait baisser la tête, elle enleva le diadème avant de poser un pied sur une marche plus bas et plia la cape sur un de ses bras. Elle fut heureuse d'apprendre qu'elle n'aurait pas à descendre tant et aussi longtemps que la foule n'aurait pas quitté les lieux. Elle devait rester assise jusqu'à ce que la prêtresse vienne l'aider à descendre.

Sous la lumière d'une première pleine lune, les lieux étaient féériques. La pluie avait cessé et apporté plus de fraîcheur. Une odeur de terre humide ravit le peuple venu prier son avatar. Les rayons de la lune traversaient la toile translucide et éclairaient la pierre de lune incrustée au haut du sceptre ainsi que le diamant bleu de la statue. Ces deux pierres réfléchissaient des éclats plus brillants que les cierges allumés. Malgré sa nervosité, Inféra fut parfaite. Une fois que l'assistance eût quitté le temple, elle reçut les félicitations de Purnima et d'Ashia, et la troupe lui donna l'accolade. Une fois à la maison, Ashia eut un drôle de propos :

— Très bientôt, tu seras confrontée à une autre divinité, dit-elle.

— Pourquoi vous dites confronter ? s'informa la Nagi.

— Parce qu'il s'agit d'un démon.

— Par la barbe des dieux, un démon ! tressaillit Picou.

Le visage d'Inféra s'assombrit et elle demanda en toute candeur :

— Et qu'est-ce qu'un démon ?

— Une mauvaise divinité, répondit Purnima. Une très mauvaise divinité.

Arméranda avait encore vu juste. Elle avait déduit qu'une force contrecarrait les effets bienfaisants de la lune et Picou avait vu juste aussi en soupçonnant la présence d'un être démoniaque. Andrick et Nina se désolaient. Leur mission de retrouver les cinq dragons se compliquait de jour en jour. Et voilà qu'un démon s'en mêlait. Quel serait son impact au cours des prochains jours? Inféra paniqua et Adora vint la consoler. Toutes les deux s'entrelacèrent et se bercèrent.

— Ne t'en fais pas, Inféra, dit Andrick. Nous sommes là et, quoiqu'il arrive, nous verrons à mener à bien notre mission. Nous le vaincrons, démon ou pas. Par la barbe des dieux, je vous le jure!

— Foi de crapaud! dit Arméranda. Nous le vaincrons.

Les paroles rassurèrent les deux porteuses et Inféra réussit à esquisser un sourire sur son joli minois.

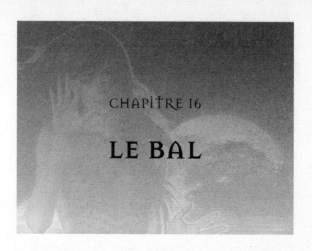

CHAPÎTRE 16

LE BAL

Les neuf sirènes et les deux enchanteurs métamorphosés en triton et en sirène arrivèrent au château Émeraude. Poséidon se présenta au-devant du groupe. Il était en furie. Ses yeux jetaient des éclairs.

— Que s'est-il passé ? demanda-t-il en s'adressant à Ramon. Vous deviez les ramener immédiatement pour qu'elles se préparent à la fête.

— Rien, rien, bredouilla Ramon. Votre Majesté, vos filles ont voulu vous faire une surprise, elles se sont fait des toilettes extra-ordinaires pour ce bal.

— MAIS, À LA FIN, cria-t-il, ÇA FAIT
TROIS JOURS QUE JE VOUS ATTENDS!

— Je sais, je sais, je croyais que ça ne
prendrait qu'une journée, mentit-il, mais
elles voulaient tellement vous impressionner
que… elles ont perdu beaucoup de temps
en… se fabriquant ces drôles… Je veux dire
des costumes.

— Bien oui, père, dit Mirlane enchantée
de continuer le mensonge. Nous ne voulions
pas arriver sans un accoutrement digne pour
cette soirée. Comment nous trouvez-vous,
cher père?

Elles paradèrent dans leur costume fait
de bouts de bois, de plumes, d'algues, de
soie de mer et de coquillages. Poséidon les
trouva abominables et grimaça d'horreur. Il
remarqua l'œil au beurre noir de Zoé.

— Mais qu'est-ce qui t'est arrivé à l'œil?
demanda-t-il.

— Oh, rien papa! Une petite chicane
avec ma très chère sœur Lolia.

Leurs mains étaient couvertes de cette
soie de mer, ce qui mit la puce à l'oreille au
roi. De plus, Imarène était la seule à ne pas
porter ces gants bizarroïdes.

— Vos vêtements sont affreux!
Enlevez-moi ces détritus et mettez les belles

robes que vous avez dans vos chambres, répondit le roi. Et surtout, ces affreux banda… ces affreux gants miteux et mal… Ah ! vous m'exaspérez à la fin. Allez ! Avancez ! À l'intérieur. Je ne veux pas que tout le voisinage vous voie dans ces guenilles horribles.

Il faillit dire bandages. De toute évidence, elles s'étaient coupées sur quelque chose de tranchant à l'exception d'Imarène. Qu'est-ce que cela pouvait bien signifier ? Le dragon avec ses écailles hyper tranchantes les avait attaquées ? Mais alors, pourquoi ne se plaignaient-elles pas ?

— Dommage, dit Zoé, nos robes sont beaucoup plus créatives que ces satanées robes en paillettes et décorées de coraux.

Les autres enfants s'étaient regroupés près de l'entrée et ils rigolèrent en les voyant habillées avec des accoutrements si surprenants.

— Je vois bien là l'œuvre de ma fille Ariane, nota Pélée en s'adressant en partie à son conjoint et à ses filles. Pourquoi, mon mari, ne les laisses-tu pas porter ce qu'elles veulent ? Elles se couvriront de ridicule d'elles-mêmes. Personne ne voudra les inviter à danser. C'est fort malheureux puisque nous avons convié de jeunes gens de Coralie. Ils auraient été si heureux de faire votre connaissance. Cependant, avec votre habillement, vous risquez de refroidir leur intérêt. De plus, le peuple de Coralie est reconnu pour posséder les plus beaux hippocampes de tous les océans. Votre père et moi pensions faire l'acquisition d'une dizaine pour vous toutes et surtout un pour Imarène, notre meilleure cavalière du royaume. Mais puisque vous insistez à jouer aux bouffonnes, qu'il en soit ainsi !

Les neuf sirènes se regardèrent. Leur mère avait raison. Et leur père les assomma davantage en reprenant l'argument :

— Je crois que votre mère a raison et que vous ne méritez pas d'autres choses que ces saletés. Quoi qu'il en soit, j'avais prévu le coup. Je vous laisse y penser. Les invités des autres royaumes se présenteront à la fête demain soir, à la pleine lune. Ça devrait vous donner un peu de temps de réflexion. J'espère qu'un éclair de génie dans vos cervelles de moineau vous ramènera à la raison.

La tête basse, les neuf sirènes se dirigèrent vers leur chambre. Elles s'étaient prises dans leur propre piège. En montant à leur chambre, Mirlane énonça :

— En plus de ça, notre père n'a même pas utilisé son trident.

— En tout cas, le discours de notre mère m'est rentré dedans, renchérit Lolia.

— Je crois que j'aurais préféré un coup de trident, conclut Zoé. Ça aurait moins fait mal à mon estime.

Pendant que les jeunes nymphes s'absentaient, Ramon fut surpris d'entendre que la fête aurait lieu à la pleine lune.

— Vous avez dit, Sa Majesté, à la pleine lune ? répéta l'enchanteur.

— Oui, pourquoi ?

— Parce que nous ne la voyons plus depuis belle lurette, dit Flavie.

— Eh bien, elle est revenue. Elle était presque toute ronde, hier soir. Une belle lune gibbeuse croissante, confirma Pélée.

Ramon et Flavie se demandèrent si les mystérieux visiteurs, et donc peut-être leur fille, n'étaient pas la source de l'apparition de cette lune. Depuis près de 74 ans, un équilibre s'était maintenu, peut-être venait-il d'être rompu ? Quelque chose venait de changer, mais cela ne préoccupait pas la famille Émeraude.

Le roi et la reine n'étaient pas dupes. Ils comprirent que les deux invités avaient menti pour cacher une vérité. Histoire de délier leur langue, Pélée suggéra :

— Vous devez être fatigués. Pourquoi ne pas aller au salon et siroter un bon hydromel de nénuphar ?

— Avec plaisir, de répondre Flavie.

— Comme vous le savez probablement, dit Ramon en savourant ce vin pétillant aux couleurs dorées, votre fille ne m'écoute plus. L'influence de ses huit sœurs est plus importante que la mienne… ou que la vôtre, sans vous offenser.

Des serveurs passaient et repassaient. Sur leur plateau, une panoplie de petites bouchées : des moules farcies, des pinces de homard en rémoulade, une tapenade d'herbes salées et des craquelins aux graines de Nymphéa. Un bel arrangement de fleurs de lotus reposait sur le coin d'une table.

— On s'attendait à ça, affirma gravement Pélée. Petite, elle était enjouée et coquette, mais depuis qu'elle porte ce dragon, je crois qu'elle comprend qu'elle est la mire de tous. D'ailleurs, Aqualon est un magnifique

dragon argenté aux écailles teintées de turquoise. Une magnifique bête.

— Mais, il doit rester caché, dit Flavie.
C'est devenu une vraie farce. Imarène, elle-
même, nous a dit qu'elle se transformait au
moins trois ou quatre fois par jour ces derniers temps. Ce qui n'augure rien de bon. Ce
dragon doit rester caché tant et aussi longtemps que les autres porteurs ne seront pas
réunis.

— Les gants de soie, d'après vous, qu'est-
ce que c'est ? demanda Pélée.

— Je crois qu'elles prennent plaisir à
chevaucher le dragon, répondit Flavie en
poussant un soupir. Les gants en soie de mer
et leur costume bizarre, c'est pour les protéger des écailles si coupantes. Je n'y vois que
cette explication.

— Je comprends la gravité de la situation, soupira à son tour Poséidon. Il ne doit
plus sortir de son corps.

— Oui, c'est ça ! répondit l'enchanteur. Il
ne doit plus se montrer jusqu'au moment où
les autres porteurs seront réunis ou, du
moins, s'exhiber très rarement.

— Et ce sera où et quand ? s'inquiéta
Pélée. Cette attente est tellement longue. J'ai
tellement hâte qu'Imarène soit elle-même, et

plus une porteuse de dragon. Je… regrette…
d'avoir consenti à cette… damnée
proposition.

— Rassurez-vous, nous le désirons tout
autant, répondit Ramon. La date est encore
inconnue, mais ce jour approche à grands
pas.

— De récents phénomènes annoncent
du renouveau. Il faudra s'adapter à ce vent
de changement, dit Flavie. L'apparition de la
lune me chicote. Pourquoi la voyons-nous
maintenant?

— Bah! Ça ne m'inquiète pas. Pour l'instant, je n'ai qu'un objectif en tête, dit
Poséidon. Que la fête soit grandiose! Je n'ai
pas ménagé sur les dépenses. J'espère que
mes filles oseront porter des vêtements
acceptables et apprécieront le divertissement
de cet après-midi, la course.

Les jeunes sirènes se retrouvèrent toutes
dans la chambre d'Imarène.

— Et toi, qu'est-ce que tu en penses?
demanda Bibiane.

— Nous n'avons pas trop le choix. Il
faudra bien se conformer aux exigences de

notre père. Il pourrait vouloir nous discipliner, répondit Imarène.

— Notre père! Nous discipliner!?
s'étonna Zoé. Qu'est-ce que tu dis là? Ça
serait bien la première fois qu'il tente quoi
que ce soit. Nous sommes trop nombreuses.
Je crois qu'il a peur de nous. Tu as vu, il n'a
rien fait sauf nous reprocher d'être en
guenilles

— N'empêche, dit Lolia, il a le droit en
tant que père de nous éduquer et, si nous ne
l'écoutons pas, il a le droit de nous punir et
de se servir de son trident. Je crois que nous
avons dépassé sa limite de confort.

Sophaline se brossait les cheveux.

— Bah! J'adore les belles robes et le
bal. Peut-être qu'un charmant triton m'in-
vitera à danser? Faisons la fête puisque
nous n'avons pas le choix!

— Ah oui! D'ailleurs, j'ai un œil sur
quelqu'un, s'esclaffa Mirlane.

— Qui ça? demanda Ariane.

— Le beau Tristan Diamant, je crois bien
que je l'aime.

— Oh! lui. Tu oublies que ses parents
sont beaucoup plus autoritaires que les
nôtres. Je me méfierais de ses beaux yeux
doux, dit Doria.

— Et moi donc, le beau Marlo Perle, s'enflamma Ariane. Il a des muscles puissants et il a une patience d'ange. Je l'ai vu faire de magnifiques bijoux d'une finesse à vous faire tomber à la renverse.

— Moi, le beau Richard Rubis m'intéresse, soupira Bibiane en réajustant ses lunettes.

— Toi, ça! se surprit Imarène. Je pensais que seuls les livres t'intéressaient.

— Bien oui, répondit-elle sur un ton choqué, je ne m'intéresse pas seulement aux livres. La famille Rubis est très riche et ses parents ont bâti une bibliothèque des plus impressionnantes concernant de nombreux sujets, alors que nos parents ne s'intéressent qu'aux sports équestres, cette saleté de sport! Un jour, je serai écrivaine, poursuivit-elle.

— Ouais, fit Zoé en regardant dans un miroir son œil amoché. Tu écriras de belles histoires d'amour qui nous feront rêver. Pour l'instant, je crois qu'il n'y aura pas beaucoup de tritons qui vont me courtiser. Mon œil, il est tout noir. Tiens! Ça pourrait t'inspirer. Une belle histoire d'amour débutant par une belle ayant un œil au beurre noir qui aspirait à un amour sincère et merveilleux avec un joli et riche triton. Mais comme il provenait d'une famille rivale, les parents de la belle à l'œil au beurre noir lui défendirent de l'aimer. La belle mourut quelque temps plus tard, trop malheureuse d'être tenue à l'écart de son bien-aimé.

Toutes partirent à rire, ce qui déplut à Bibiane. Doria remarqua qu'elle avait de la peine. Elle pensa la consoler en lui lançant une boutade :

— Je suis sûre que tu seras une grande écrivaine, peut-être dans 100 ans.

Bibiane n'apprécia pas son ironie et lui lança ses lunettes, et Doria ne se gêna pas pour les prendre et les relancer à ses pieds.

— Ah! oui, renchérit Bibiane qui était hors d'elle-même. Tu dis dans 100 ans, hein? Tu n'es qu'une vipère et ta tête ne contient qu'une toute petite cervelle, aussi petite que celle d'un oiseau. Je te jure que lorsque je publierai mon premier roman, je ne vais plus t'adresser la parole. Plus un mot, petite insolente!

Elle ramassa ses lunettes. Elle les remit sur son nez et ne remarqua pas qu'elles étaient croches. Les verres étaient intacts, sauf qu'une des branches était tordue. Encore choquée, elle continua son envolée comme pour souligner l'importance de ce métier passionnant qu'est l'écriture.

— Ce sera des histoires merveilleuses. Le public m'acclamera et un homme demandera ma main. Je deviendrai sa femme pour l'éternité.

— Et ils eurent de nombreux enfants, ironisa Imarène. J'espère que ton héros sera un preux chevalier et qu'il aimera les dragons.

Elle ne comprit pas le sarcasme de sa sœur. Au contraire, elle crut qu'elle l'encourageait à poursuivre sa lancée.

— Oh oui! Un dragon, un chevalier et une princesse, dit Bibiane qui apprécia la suggestion. Bien sûr, je suis la jolie princesse aux yeux envoûtants et mon futur mari, le chevalier aimant et courageux. Mais dans toute bonne histoire d'amour, il y a un vilain. Mon histoire commencerait comme ceci : il y a fort longtemps vivait une merveilleuse princesse à la peau blanche comme la lune et aux yeux brillants comme des émeraudes. Grâce à sa beauté enchanteresse, un prince venu d'ailleurs la désirait plus que toutes les belles demoiselles vivant dans sa lointaine contrée. Mais la belle avait les yeux sur un chevalier courageux et aimant. Ce prince fortuné était prêt à la conquérir. Il avait à sa portée une puissante armée tandis que notre chevalier n'avait qu'un dragon, mais quel dragon! Un dragon vigoureux prêt à affronter tous les défis pour que son maître soit heureux.

Toutes les sirènes ne purent résister à écouter cette histoire merveilleuse. Elles s'assirent près d'elle et l'écoutèrent avec attention. Cette histoire les émouvait au plus haut point.

— Ce dragon fort et beau volait dans les airs et nageait avec aisance. Lorsque le sommeil le prenait, il se réfugiait dans une grotte sombre. Personne jusqu'à ce jour n'avait réussi à s'approcher de lui, sauf le chevalier.

Elle ne cessait d'inventer des situations et ses huit sœurs, si déplaisantes quelques instants plus tôt, s'émerveillaient d'entendre un récit fantastique raconté avec autant de détails vibrants. Elles écoutaient avec attention ce long monologue.

Poséidon et Pélée passèrent dans le corridor après le départ de Ramon et Flavie. Ils s'arrêtèrent pour tendre l'oreille à cette histoire si surprenante et pleine de rebondissements. Ils durent admettre qu'elle avait vraiment de l'imagination.

— Oh! chuchota Poséidon, j'aurais dû l'inscrire en art oratoire plutôt qu'en sport d'hippocampes.

— Elle est merveilleuse, fit Pélée en pleurant.

Ils quittèrent les lieux. Quelques secondes plus tard, il y eut des applaudissements signifiant qu'elle avait fini son histoire. Puis, toutes descendirent à la salle à manger. La course d'hippocampes allait avoir lieu dans l'heure suivante.

Autant les courses furent captivantes, autant le bal fut ennuyeux. Le pétillant coulait à flots et la nourriture était abondante et de qualité. Mais les neuf sirènes bâillaient. Les jeunes hommes qu'elles convoitaient étaient bien là, mais ils étaient soit trop gourmands, soit trop paresseux pour les inviter à danser. Le carnet de bal ne se remplit pas. Poséidon et Pélée firent de leur mieux pour les inciter à danser. Vers le milieu de la soirée, les gens étaient plus animés et quelques-uns vinrent afin de donner le bras aux demoiselles. Mais c'était trop tard. Déjà le dragon d'Imarène s'impatientait et voulait profiter de cette belle fête pour se présenter. Pour la première fois, il ferait son apparition dans l'eau.

Les sœurs d'Imarène s'étaient préparées. Elles avaient conclu un pacte. Si la soirée était trop endormante, elles enfileraient leurs gants de soie en signe du début du processus de transformation. Lorsque leurs parents les virent mettre leurs gants, ils comprirent que quelque chose se tramait. Quelques secondes plus tard, Aqualon apparut. Il prenait les trois quarts de la place à lui tout seul. Il y eut des cris et un mouvement de panique. Les huit sœurs s'accrochèrent à ses épines dorsales et vlan! il défonça une partie de la toiture.

Par le trou béant, les convives stupéfaits purent voir le dragon voguer à grande vitesse. Le roi et la reine se sentirent impuissants. Ils craignirent que l'une d'elles soit blessée et ils regrettèrent de ne pas avoir suivi les recommandations de Ramon et Flavie et de ne pas avoir été assez vigilants.

CHAPITRE 17

BELZÉBUTH EN LIBERTÉ

À la recherche d'un corps plus acceptable, Belzébuth rampait au sol dans les rues désertes au début de la soirée. Comme l'avait présumé Purnima, il avait intégré le corps d'un des cobras sacrés. Il bondissait et glissait sur les roches de la ville. La pluie des derniers jours facilita ses déplacements. Toutefois, une musique ralentit sa balade au point de l'immobiliser. Un des gardes l'intercepta et l'enferma dans un panier. Il fut le dernier naja récupéré et conduit au temple du Soleil.

— Voici les 12 cobras sacrés, ô grand Naga, dit le dernier soldat en arrivant.

Le titre de grand Naga n'enchantait pas Nayan. Pour ne pas briser le lien de confiance que le peuple portait envers son père, il décida de jouer ce rôle d'avatar du mieux qu'il pouvait. Par le toit abîmé, la pluie tombait et pénétrait dans le temple. Pour l'honorer, les 12 gardes ouvrirent les paniers et les najas se dressèrent devant lui. Il les trouvait affreux et répugnants.

Le fils aîné d'Asu s'appelait lui aussi Asu comme le voulait la tradition. Il s'inclina devant Nayan, mais il ne s'agenouilla point, ni ne s'accroupit, ne voulant pas souiller ses vêtements et son front dans cette eau sale. Plusieurs bougies illuminaient l'intérieur et étaient placées à l'arrière, où le toit était intact.

— Ô grand Naga, le temps est venu de reprendre votre place et de régner.

— Je suis le nouvel avatar du dieu du Soleil. Mon temple est abîmé et l'eau ruisselle sur le plancher. Par respect pour mon père, le plus grand avatar de tous les siècles, j'exige que le toit soit réparé et que mon père soit embaumé et exposé ici dans une sépulture à sa hauteur. Nous le prirons quelques jours pour honorer ses services auprès de notre dieu du Soleil et du dieu suprême, l'Absolu. De même, notre grand prêtre Asu aura une sépulture honorable, à la hauteur de ses services rendus à la population.

Asu étant lui-même sans expérience admit que le jeune Nayan se débrouillait bien et qu'il ferait un excellent avatar. Quant à lui, il n'était pas instruit des devoirs d'un prêtre. Son père, ne prévoyant pas trépasser si tôt, ne lui avait rien transmis. Aucun grimoire ou livre médical n'était disponible, sauf quelques bouts de papier mal écrits. Son savoir était dans sa tête. En mourant, il emportait toutes ses connaissances pour l'éternité.

— Nous devons nous réconcilier avec le nouvel avatar de la déesse de la Lune. Soyons sensibles à la joie envers cette pluie bienfaisante. Réparons ce temple et préparons-nous à prier notre dieu !

Asu et les gardes crièrent à l'unisson :

— Oui, ô mon grand Naga, qu'il en soit ainsi !

Le seigneur des mouches qui regardait la scène au travers des yeux du cobra vit en lui une personne digne d'intérêt. Il était grand et jeune. Il avait des cheveux magnifiques, bouclés et souples, et il s'exprimait bien.

— Oh! oh! oh! ricana Belzébuth. C'est le temps de s'amuser un peu. Ce jeune Naga me convient parfaitement comparativement au vieux prêtre d'Asu. Quoi de mieux! C'est au-delà de mes espérances. Il veut se réconcilier avec une déesse. Il se peut qu'il y ait des échanges électrisants entre le Soleil et la Lune. Oh! C'est super délectable!

— L'œil de l'Absolu, poursuivit Nayan, saura nous enseigner la paix. La Vérité doit régner. Nous devons rétablir l'équilibre entre le Soleil et la Lune. L'un et l'autre ne doivent être plus forts, ce sont des alliés. La nature a besoin de soleil et d'eau pour prospérer. Prions ensemble!

Les soldats s'agenouillèrent, prirent une position accroupie et collèrent le front au sol malgré le film d'eau souillée. Il était évident que l'avatar poursuivrait son discours, mais au lieu de cela, le calme. Ils attendirent quelques minutes. Ce silence les alarma. Ils relevèrent la tête. Nayan était immobile. Ses yeux fixaient un lointain horizon. Ils crurent un instant qu'il avait été foudroyé comme son père. Pourtant, aucun éclair n'avait été vu et aucun tonnerre n'avait été entendu.

Soudain, il revint à lui et lorsqu'il ouvrit la bouche, sa langue était fourchue et ses yeux avaient une pupille aplatie. Il dit d'une voix venue des abîmes qui les fit trembler :

— Peuple, je suis votre prince et vous me devez obéissance !

Il fit une pause avant de reprendre la parole :

— Sinon, les portes de l'enfer s'ouvriront à vous, là où les flammes brûlent éternellement.

Il éclata de rire et il rit un long moment. Les gardes et Asu comprirent que quelque chose venait de se produire. Plus il riait, plus le trône rougissait. Des arcs électriques s'échappaient à la base du trône. Des coups de tonnerre retentirent. Une fumée noire l'entoura.

— VOUS ÊTES À MOI !

Sur ces mots, il déchargea son trop-plein d'énergie. Les cobras, le prêtre et les soldats ressentirent une douleur totale dans tout le corps. Ce n'était plus le gentil et tranquille Nayan, c'était une force diabolique. Il pointa le toit.

— CE TEMPLE N'EST PAS DIGNE DE MOI. IL M'EN FAUT UN AUTRE, UN PLUS

GRAND, UN PLUS BEAU, UN DIGNE DE MA MAGNIFICENCE.

— Mais, ô grand Naga, dit un des gardes, n'avez-vous pas dit de réparer ce temple et de…

Il n'eut pas le temps de finir. Naga pointa son doigt vers lui et ce dernier reçut une forte décharge électrique qui le fit virevolter dans les airs. Il retomba au sol comme une vulgaire marionnette noircie et brûlée. Il mourut sur le coup. Nayan éclata d'un rire démoniaque et des flammes sortaient au bas du trône.

— Vous êtes adorables! De jolies petites créatures naïves et tellement stupides. VOUS NE COMPRENEZ DONC PAS?

Personne ne bougea, même pas les cobras.

— Je ne suis pas un avatar, poursuivit-il. Je suis votre nouveau dieu, LE PRINCE DES TÉNÈBRES, CHEF SUPRÊME DE L'EMPIRE INFERNAL. Vous me devez fidélité sinon… vos vies ne valent pas grand-chose. Chaque âme qui se joint à moi grâce à votre endoctrinement vous permettra de monter d'un cran vers l'immortalité, vers une gloire éternelle. N'EST-CE PAS MIEUX QUE LE PARADIS?

Un rire grinçant sortit de sa bouche fendue jusqu'aux oreilles.

— N'hésitez pas à user de la torture s'ils ne veulent pas se soumettre à ma piété. Les dieux viennent et meurent. Le dieu du Soleil est mort. Je suis votre nouveau dieu. Détruisez les autres temples et, avec leurs pierres, bâtissez un temple digne de votre dieu, DE VOTRE NOUVEAU DIEU TOUT PUISSANT. Je n'aime pas toute cette eau qui souille les lieux. J'adore la chaleur des flammes. ALLEZ, PARTEZ ET RÉPANDEZ LA BONNE NOUVELLE ! D'ICI UNE SEMAINE, SI JE N'AI PAS UNE FOULE À MES PIEDS, GARE À VOUS, VOS JOURS SERONT COMPTÉS.

Les gardes sortirent du temple solidement ébranlés et confus, n'osant raconter ce qu'ils avaient vu de peur qu'on les traite de fous et qu'on les enferme. Seul Asu fut incapable de fuir. Nayan veilla à ce qu'il reste cloué à l'endroit même où il se tenait. Une force le retint sur place. Le pauvre tremblait de tous ses membres. Pourquoi lui ? Il se dit que le discours de son maître avait débuté d'une voix jeune et ferme et, soudainement, sa voix s'était transformée en une autre, méconnaissable et cruelle. Ce n'était pas Nayan, mais qui était-ce?

— Ô mon grand Naga, la journée a été éprouvante pour moi en raison de la perte de mon père et de la perte de notre Naga. Ne pourrais-je retourner chez moi me reposer?

Belzébuth prit une pause, histoire de le faire languir. Il le voyait trembler de tous ses membres. C'était attendrissant et ô combien jouissant! Le voilà qui commençait à pleurer. Ce signe de faiblesse le choqua. Il n'était pas digne de lui. Il lui faudrait un meilleur adjoint, plus passionné, plus investi de pouvoirs, mais pas lui, pas cet être fragile et pleurnichard. À défaut d'en trouver un mieux que lui dans l'immédiat, il allait se contenter de ce faible geignard.

— Ah! vous autres les humains, toujours fatigués. Pour une fois, je te l'accorde, mais n'oublie pas que j'ai besoin d'un acolyte. Tu dois me servir. Un seul manquement de ta part et je te chauffe les fesses. AS-TU COMPRIS?

— Oui, oui, grand Naga, murmura Asu.

— PLUS FORT! JE N'AI RIEN ENTENDU!

— OUI, GRAND NAGA, répéta-t-il d'une voix forte.

Asu trouva assez de courage pour marcher jusqu'à la sortie. Une fois dehors, il s'effondra, complètement épuisé. Une des femmes nagaliennes le vit et demanda l'aide d'un autre citoyen pour l'emmener chez elle. Une forte fièvre le fit divaguer. Ses propos étaient étonnants. Il parlait de lumières, de douleurs, de langue fourchue et d'arcs électriques. Elle mit ça sur le compte de la fièvre.

À l'intérieur, Belzébuth quitta le corps de Nayan pour aller vaquer à des occupations supérieures. Nayan remarqua que le temple était vide. L'instant d'avant, il y avait un prêtre adolescent, 12 gardes et 12 cobras, mais maintenant, plus rien. Il se releva. Ses jambes étaient faibles, ses bras lui faisaient mal et sa gorge était irritée et douloureuse. Il ressentit une fatigue intense et inexplicable. Il marcha avec peine jusqu'à sa demeure.

CHAPITRE 18

UN RETOUR
AU BERCAIL

En pleine nuit, le dragon les posa sur la falaise. La pluie s'était arrêtée et une lune gibbeuse décroissante luisait au firmament. Les jeunes sirènes dansèrent et le dragon se promena dans le ciel en crachant du feu.

— C'est merveilleux de pouvoir danser, dit Sophaline.

— Je pourrais le faire toute la nuit. C'est malheureux que nous ayons des jambes pour une si courte période de temps, se désola Bibiane.

— Il suffit de se baigner quelques instants et de revenir sur la terre, puis nos belles jambes reviennent, la rassura Éva en flattant ses cuisses élancées. Elles sont magnifiques.

Le dragon se posa au sol et redevint une sirène. Au contact du sol, elle acquit des jambes. Comme c'était la nuit, après quelques chansons d'Éva et de Doria, elles commencèrent à s'ennuyer et à bâiller aux corneilles.

— Et si nous allions fouiner dans les appartements de notre oncle et de notre tante? dit Imarène.

— Quelle bonne idée! Nous n'avons jamais vu l'intérieur de leur habitacle, dit Ariane. On dit que leur lit est des plus moelleux. Ils dorment sur du duvet.

Elles cherchèrent comment accéder au promontoire. Ariane trouva tout de suite les échelles cachées. Elles atteignirent l'entrée de la résidence. Elles pénétrèrent et s'enthousiasmèrent en voyant autant de babioles et de gadgets pour cuisiner. Elles les sortirent des armoires et les disposèrent sur le plancher. Il y avait des ustensiles de toutes sortes : des couteaux ultra tranchants, des chaudrons, des plats, des bols et des verres.

Alors que chez les Émeraude, les coquillages de différentes grandeurs et variétés servaient d'assiettes et de coupes. Le prolongement osseux du poisson-scie était fort utile pour découper en petits morceaux les aliments.

Zoé mit un chaudron sur sa tête et parada. Elle fit rire toutes ses compagnes.

Ariane remarqua un paquet d'allumettes. Elle en prit une et la frotta sur le bord du comptoir. Une flamme jaillit. Elle était chaude et scintillante. Elle faillit se brûler lorsque le feu lui lécha les doigts

— Wow! Impressionnant, dit-elle. Mais à quoi ça sert?

Elle en alluma une autre et en fut encore une fois éblouie. Elle vit une chandelle et enflamma la mèche. Une belle lumière se répandit dans la pièce. Elle en alluma d'autres jusqu'à ce que ses doigts se brûlent sur une allumette devenue trop courte.

— C'est joli, ces bâtons de cire, dit Éva. Ça me donne le goût de chantonner.

Elle fit glisser ses doigts sur sa harpe et chantonna une douce mélodie.

— Feu, joli feu, tu remplis mon cœur de joie. Feu, joli feu, ta couleur me fascine et me réjouit. Feu, joli feu, ta chaleur nous réconforte de bonheur. Feu, joli feu.

Personne ne l'interrompit et lorsqu'elle termina sa mélodie, Imarène blagua :

— Mais ces flammes ne sont pas aussi belles que celles de mon dragon.

Tout le monde rit et Éva apprécia la gaieté du groupe. La porteuse de dragon s'approcha d'un divan et s'étendit de tout son long, tandis que Bibiane, attirée par les gros bouquins, fouinait dans une petite bibliothèque. Aucun des livres ne la titilla. En s'assoyant près de sa sœur, elle trouva un livre de magie sur une petite table basse. Elle le feuilleta et trouva des expressions bizarres.

— Hé, mes chères sœurs, écoutez ça ! Endorminium, dit-elle. Supposément, ce mot a pour effet d'endormir les enfants.

Elle fixa ses sœurs et prononça le mot avec force. Sophaline et Zoé jouèrent le jeu. Elles fermèrent les yeux et ronflèrent. Toute concentrée, Bibiane continua sa lecture.

— Wow ! Vraiment époustouflant, poursuivit-elle. On parle de sceaux magiques et de quatre rois, de princes… d'un arbre du savoir… et des con-ju-ra-tions de démons. Qu'est-ce que c'est, des conjurations ? Je n'y comprends rien. C'est à dormir debout. J'aime mieux les histoires d'amour, mes propres histoires d'amour. Quoique les sceaux magiques... C'est intéressant.

Il y avait des fauteuils disposés le long de la grande fenêtre donnant sur l'océan. Les autres sirènes terminèrent leur inspection et se prélassèrent au sol. Malgré la clarté de la lune et les vagues argentées qui déferlaient sur le rivage, elles ne furent pas touchées par cette vision grandiose.

— Ils sont un peu pépères, notre oncle et notre tante, dit Lolia. Je m'ennuierais à ne regarder que ce paysage sans vie à longueur de jour. On ne voit que des vagues et l'île des Brigands au loin, du moins, c'est ce que je crois qu'est la petite tache là-bas. Qu'est-ce que vous en dites ?

— Peut-être bien, dit Doria en bâillant de satisfaction.

— Y'a pas une chambre avec un lit ? demanda Zoé.

— Ah oui, c'est vrai, dit Lolia.

— Et si nous cherchions cette chambre ? s'exclama Zoé.

Elles se levèrent pleines d'énergie. Derrière un pan de mur, elles virent un lit avec un drap qui occupait un petit espace. Elles se jetèrent dessus. Le poids de neuf sirènes fit craquer un pied et le lit s'écrasa en faisant tout un boucan. Les sirènes se retrouvèrent pêle-mêle par terre. Elles rirent. Ce ne fut que de courte durée. Elles perçurent deux présences derrière elles. Flavie et Ramon étaient là, furieux.

— Mais, mais… on ne vous a pas entendus arriver, dit Mirlane toute rouge de honte.

– Ce n'est pas moi qui ai eu cette idée, renchérit Lolia.

— Peu importe, gronda Ramon, vous ne faites que de la pagaille.

— De la pagaille ? osa demander Zoé.

— Oui, de la pagaille, ce qui veut dire du désordre partout où vous allez. Aqualon a défoncé une partie du château, vous avez anéanti la belle soirée que vos parents avaient préparée avec amour et tendresse et maintenant, vous créez tout un désordre chez nous. Ce n'est vraiment pas bien.

— Mais… on s'ennuyait, affirma Mirlane.

— Grand dieu, à votre âge, vous devez savoir qu'il y a des façons de faire. Vous vous êtes mal conduites. La honte se lisait sur les visages de vos parents. Les invités sont tous partis en furie. Des invités de marque venaient de Coralie à des centaines de kilomètres d'Océanie. C'est le déshonneur chez vos parents.

— Oh! dirent en chœur les sirènes.

— Je crois que vous n'avez pas le choix de retourner à la maison et de vous excuser.

— Est-ce qu'il nous tuera? demanda Doria.

— Peut-être, du regard, dit Flavie.

Les jambes leur piquèrent. Il fallait qu'elles retournent à l'eau. Elles se dépêchèrent d'atteindre le promontoire à l'extérieur et de se jeter à l'eau. Immédiatement au contact de la mer, leurs jambes se soudèrent et des écailles apparurent. Flavie et Ramon se transformèrent une autre fois. Ils avaient pratiquement atteint la limite de leur pouvoir magique. Ce long maintien pour respirer sous l'eau demandait beaucoup d'énergie. Une trop forte demande pouvait se terminer par une pétrification. Ils ne pouvaient plus se payer une autre transformation sans frôler la mort. Il faudrait que le roi et la reine comprennent que c'était leur dernier voyage avant une longue période de récupération.

En arrivant sur place, tous constatèrent que
Poséidon montrait toute sa colère et son indi-
gnation pour un bal raté et la destruction
partielle du palais. Il les obligea à aller dans
leur chambre en les menaçant de son trident. Elles se plièrent à cette exigence en
rouspétant.

Puis, il convia les enchanteurs à sa salle
privée où Pélée s'adonnait à son passe-temps
favori, le filage de fibre végétale marine. Elle
avait d'un côté des algues fibreuses et de
l'autre côté des balles. Libéré de ses filles, il
remercia vivement les deux enchanteurs de
s'être à nouveau déplacés et de les avoir
ramenées.

— C'est la moindre des choses, dit
Flavie. Elles sont encore bien jeunes et ce
sont les sirènes les plus curieuses que je
connaisse. Normalement, ce n'est pas un
défaut, mais vous comprendrez, Majesté,
qu'elles courent un danger en se baladant
sur l'île des Brigands et en commettant des
jeux imprudents, comme celui de voyager
accrochées aux épines dorsales du dragon.
Ce jeune dragon est aussi curieux que vos
filles et ne connaît pas encore ses limites, ni
sa force. Par inadvertance, il pourrait les
blesser, ou pire, les tuer.

Elle omit de parler de la visite des sirènes dans leur domicile et du désordre qu'elles avaient créé. Ce fait n'aurait servi qu'à augmenter le chagrin du roi et de la reine.

— De plus, nos transformations sont extrêmement exigeantes physiquement, compléta Ramon. Nous ne pouvons le faire aussi souvent que nous le voulons. Ce qui signifie qu'il sera impossible de nous revoir dans l'immédiat. Il nous faut du repos.

Les explications des enchanteurs étaient claires. Le roi comprenait la gravité des gestes posés par sa progéniture.

— J'imposerai une retenue d'une semaine dans leur chambre, conclut-il. C'est la moindre des choses après ce désastre.

Il sonna une clochette et un serviteur se présenta.

— Servez-leur de la champagnette, de la tire salée, des orties de mer bien grillées et des biscuits à la salicorne. Ce sont leur boisson et leurs friandises préférées. Elles ne voudront pas partir de sitôt.

» Oh! aussi, poursuivit-il, demandez à mon intendante de verser quelques gouttes d'une potion pour dormir dans la bouteille de champagnette et surtout, soyez généreux!

Le serviteur inclina la tête sans rien dire et disparut.

Ramon et Flavie suggérèrent qu'un sort leur soit jeté afin qu'elles dorment jusqu'au retour des autres dragons pour ne pas influencer Imarène ou faire une quelconque gaffe en revenant à la grotte du dragon d'argent. Poséidon et Pélée acquiescèrent sans enthousiasme. Pour eux, ce n'était pas une façon de les éduquer. Ils aimaient mieux discuter et obtenir le consentement de leurs filles plutôt que d'imposer une ligne de conduite. Mais puisqu'il le fallait, ils allaient veiller à ce qu'elles soient dans un état léthargique.

— Majesté, fit poliment Flavie, l'une d'entre elles doit nous suivre.

— Imarène ? se chagrina Pélée.

— Oui, nous devons veiller sur elle, renchérit Ramon.

À regret, ils firent une autre concession. Ils permirent qu'Imarène soit amenée avec eux et gardée à l'intérieur de la grotte du dragon d'argent.

— Puisqu'il le faut, s'attrista le père.

— Nous la surveillerons comme si elle était notre propre fille, dit Flavie pour le

réconforter. Rien ne pourra lui arriver, promesse d'enchanteur.

Sa mère leur donna ses objets préférés :
un collier en perles de cristal et un peigne en
ivoire.

— Ainsi, elle sera entourée d'objets
qu'elle aime. Quand pensez-vous qu'il serait
possible de la revoir ?

— Je crains qu'il se passe encore quelques mois, peut-être trois, dit Ramon.

— Trois mois !? s'étonna Poséidon.

— Ce n'est rien par rapport au temps
déjà passé, indiqua Ramon.

— C'est vrai, constata le roi.

Les jeunes sœurs se réunirent dans la
chambre de Mirlane.

— Je me demande quel châtiment notre
père a prévu ? s'interrogea Mirlane.

— Que je ne vois pas mon père nous
barrer la porte de nos chambres, s'énerva
Imarène. Je vais lui montrer de quel bois je
me chauffe.

— C'est vrai. C'est facile pour toi. Tu
n'auras qu'à te transformer en dragon, dit

Bibiane qui commençait à prendre goût à être délinquante. Tu pourrais défoncer le plafond de ta chambre, un de plus ou un de moins.

— *Cool !* dit Zoé. Après, tu viendras nous libérer.

Trois serviteurs cognèrent à la porte. Surprise, Mirlane ouvrit et ne put contenir sa joie en voyant les plateaux.

— Wow ! Je vous l'avais dit que nos parents sont bonasses. Il a bien essayé de nous faire peur avec son trident et voilà qu'il veut déjà se faire pardonner en nous offrant des douceurs.

Elles s'éclatèrent, puis s'endormirent pêle-mêle sur le plancher. Elles dormirent comme des bébés.

Pour leur faciliter la tâche du retour et le transport de la porteuse de dragon, Poséidon prêta son char royal. Il fut conduit par deux serviteurs qui maniaient bien les hippocampes. Ils arrivèrent chez eux beaucoup plus vites et surtout moins fatigués. Les serviteurs les aidèrent même à aménager un confortable lit d'algues au fond de la grotte du dragon d'argent. Ils y installèrent Imarène. Ils s'assurèrent qu'elle soit à l'aise et qu'elle respire bien. Chaque jour, ils veilleraient à son confort.

— Encore un peu de temps, ma belle ! Tu seras bientôt libérée de ton dragon, dit Flavie avant d'aller se coucher.

Elle le disait en pensant à sa fille. Toutes ces années à attendre, le courage lui manquait. Elle pleura et Ramon la consola en lui caressant le dos.

CHAPITRE 19

DE LA PLUIE, TOUJOURS DE LA PLUIE

Depuis plus d'une semaine, il pleuvait presque sans arrêt. Les nuages ne se retiraient que de brefs moments au cours de la journée. Le soleil revenait et ses chauds rayons réchauffaient le sol. Mais, par malheur, cet astre si présent autrefois ne faisait que de succinctes apparitions; en conséquence, la terre gorgée d'eau ne s'asséchait pas. Les Nagaliens marchaient constamment sur un tapis boueux et collant. Leurs vêtements gardaient en permanence une moiteur tenace et répugnante. Bien que la température fût plus clémente, que les nuits fussent fraîches et que les jours fussent moins chauds, l'humidité était insupportable. Une grande morosité et une profonde lassitude s'emparèrent de ce peuple habitué à un climat sec. Ils étaient incapables de dormir la nuit en raison de la moiteur. Le mécontentement se lisait sur leur visage.

Autrefois, l'eau était une denrée rare tandis que maintenant, elle était trop présente. Certaines dunes de sable s'aplatissaient, d'autres s'élevaient. Le paysage se modifiait. L'eau déplaçait le sol et engendrait des crevasses. Des ruisseaux se créaient et inondaient certaines maisons situées au bas des collines. Quelques pousses pointaient et verdissaient les lieux. Les gens commençaient à montrer du doigt une coupable : Inféra. Elle se terrait dans l'habitation de Purnima et les gens venaient chahuter autour de la résidence et lancer des roches.

Même les stratos ne s'y retrouvaient plus. La température plus fraîche de ces derniers temps les déstabilisait et, au lieu d'être couchés le jour, ils commencèrent à être plus actifs, surtout qu'ils sentaient de l'herbe fraîche tout près d'eux. Ils s'agitaient dans leur enclos. La cohabitation des yokeurs et des dragnards avec les stratos devint plus difficile. Ils commencèrent à ruer et à se rebeller. La force herculéenne de ces animaux mettait en péril les animaux avoisinants et la population.

— Hum ! s'inquiéta Picou, les choses s'enveniment. Cette touffeur nous rend fous. Il faudrait plus de soleil.

— Mais alors l'humidité augmentera, se désola Waldo.

— Hélas ! C'est le prix à payer, commenta Andrick qui suait à grosses gouttes. Heureusement que la température baisse chaque jour. Je me demande si elle va descendre au point d'atteindre le point de congélation.

— Impossible, répondit Purnima qui venait d'entrer dans la pièce où se tenaient les chevaliers du Pentacle.

— Pourquoi ? demanda Arméranda.

— Le sous-sol regorge de grottes remplies d'eau chaude. Le volcan Magma maintient cette température. Autrefois, la température frôlait le jour les 30° Celsius et la nuit les 15°, au pire 10°. Aux dires de mes grands-parents, c'était un véritable paradis. La nourriture poussait à profusion et de nombreuses rivières coulaient sur notre territoire, apportant de l'eau et du poisson. Puis, nous avons connu un autre cycle. Le sol s'est asséché. Et maintenant, nous en connaissons un nouveau. J'espère que c'est celui du climat tempéré des jours anciens.

— Et le peuple devra s'adapter entre-temps à ce changement, indiqua Nina.

— Mais je crains que d'autres forces interviennent, dit Purnima.

— Lesquelles ? demanda Picou.

— Ashia a pressenti une présence venant de l'au-delà. Un des cobras ne rampait pas comme les autres. De toute évidence, Asu priait un dieu maléfique, comme en font foi les accessoires utilisés : les chandelles noires, la nappe rouge et le petit autel.

— J'espère qu'il n'a pas fait venir les grands chefs de l'enfer, que ce soit Lucifer, Satan ou Belzébuth, l'empereur de 6 666 légions, murmura Picou.

— Vous les connaissez ? dit Purnima.

— Pas personnellement, blagua Picou, mais l'un d'eux a déjà causé quelques catastrophes au Dorado. Un des enchanteurs a exercé une magie très contestée, la magie noire. Je n'en sais pas plus. Mes parents ont fait de nombreuses mises en garde quant à l'exercice de cette magie. Et dans tout bon manuel de magicologie, nous avons un chapitre pour contrecarrer les effets maléfiques de ces démons.

— Avez-vous ce livre sur vous? demanda l'ex-Nagi.

— Malheureusement non.

— Nous ne sommes pas ignorants de ces pratiques, nous non plus, reprit Ashia. Je connais quelques conjurations pour les éloigner et la lavande a un pouvoir de purification.

— Souhaitons que vos connaissances et les nôtres puissent réussir à chasser ce démon, rassura Picou.

À quelques centaines de mètres de là, Belzébuth grognait. Il était insatisfait du nombre de fidèles. Comme il l'avait pressenti, Asu et les gardes ne répondaient pas à ses demandes. Toutefois, il comprit que le moment était venu de compliquer davantage la vie des Nagaliens, déjà malmenés par cette pluie déprimante.

— Ah! ça fait tellement longtemps que je n'ai pas fait venir mes amis, ricana-t-il tout seul dans le temple du Soleil.

D'un geste gracieux de la main, autant que pouvait l'être celui de Belzébuth, il fit naître une quantité gigantesque de mouches et de moustiques. Un gros bourdonnement résonna dans l'air humide du matin. De prime abord, le peuple craignit un tremblement de terre, mais le bruit ne venait pas des profondeurs de la terre. Ce son était aérien. Les gens scrutèrent le ciel. Au travers d'un nuage, ils virent une boule compacte et noire fendre cette masse vaporeuse et se diriger sur eux. Cette nuée fonçait à une vitesse affolante. Ne sachant à quoi s'attendre, ils restèrent sur leurs gardes, ignorant comment réagir face à cet essaim étrange. Mais lorsque les maringouins commencèrent à les piquer, les pleurs et les hurlements débutèrent. Il y en avait des milliers et des milliers qui s'abattaient sur eux. Les maisons n'étaient pas conçues pour résister à ces attaques. Les fenêtres, même fermées, n'étaient pas étanches à cette invasion. Les moustiques s'infiltraient par les moindres craques et fissures autour des ouvertures.

Pendant deux jours, on n'entendit que les pleurs des enfants et les cris d'impatience des adultes. Arméranda et Ashia firent de leur mieux pour venir en aide à tous ces gens. Elles appliquèrent des compresses d'eau chaude pour diminuer l'inflammation. Malheureusement, les moustiques étaient infectés. Plusieurs gens, surtout des enfants et des vieillards, devinrent fiévreux et moururent.

Enfin, il y eut une accalmie de ces bestioles. Les yokeurs en liberté s'en étaient délectés et les dragnards, faute de nourriture plus substantielle, en avaient ingéré une quantité phénoménale. À eux tous seuls, ils abaissèrent le nombre de ces insectes à un niveau acceptable. La troupe soignait ses blessures. Par chance, aucun d'eux n'eut de complications. Cette semaine, il n'y avait pas de célébrations d'esbat, mais seulement le sabbat, une heure de prières. Vers 23 h, Purnima indiqua que c'était le temps de partir.

Malgré la légèreté de la pluie, la foule grondait au-dehors. Elle montrait son mécontentement en cognant des cuillers sur des chaudrons vides. Ce vacarme n'enchantait pas Inféra. Sous la contrainte vigoureuse de l'hôtesse, elle entreprit sa route vers le temple, soulevée par des porteurs. Cette

foule moins réceptive la chahuta et un des
fidèles lui lança une roche. Elle la reçut à la
tête.

— Aïe ! cria-t-elle.

Puis une autre la frappa à la jambe. Pour
mieux se protéger, elle se mit en boule sur ce
plateau.

— Accélérez le pas, hurla la prêtresse.

Les porteurs s'activèrent et la foule
redoubla d'ardeur dans le lancement de
pierres. Quelques porteurs furent touchés
et même l'ex-Nagi en reçut une, au front.
D'autres atterrirent sur le dos de la dragon-
fée. C'est alors qu'Inféra se redressa, mue
par une colère féroce. Son dragon si sage
depuis des jours se sentit renaître. Des forces
le poussaient à se matérialiser. La dragon-fée
se transforma en dragon et les porteurs ne
purent supporter ce poids sur leurs épaules.
Ils s'écrasèrent au sol. Adora qui suivait de
près cette procession se sentit interpellée et,
en quelques secondes, Draha, un dragon
vert, apparut au milieu de la masse des
fidèles. La peur s'empara d'eux à la vue
de ces deux super dragons. En quelques
minutes, ils vidèrent la place.

Croyant le temple du Soleil vacant, car
les pratiques y avaient lieu habituellement le

dimanche soir, ils s'y réfugièrent. Le peuple, ignorant les derniers événements que les gardes et Asu avaient vécus, pénétra dans le temple du dieu du Soleil avec assurance. La foule fut surprise de voir Nayan assis sur son trône, protégé de la pluie par une immense ombrelle, comme s'il les attendait. Même si ce n'était pas un dimanche, ils se prosternèrent pour l'honorer.

Nayan portait sa cape cérémoniale. Impassible à la vue de cette foule grouillante, il conserva un regard fuyant. Une odeur sulfureuse flottait dans les airs. Les 11 soldats avec leur naja montaient la garde au périmètre de la salle. Le jeune Asu se tenait du côté gauche du Naga, immobile et sans réaction. Tout paraissait étrange et irréel. La foule s'inclina et baisa le plancher mouillé. Le silence se fit et les fidèles attendirent que le grand Naga parle.

Belzébuth, qui ne les attendait pas aussi tôt, se réjouit. Il s'activa. Nayan reprit vie et tout souriant, il dit d'une voix caverneuse :

— Bienvenue ! Vous êtes mon peuple et je suis votre grand Naga.

Le peuple s'inclina et posa une autre fois la tête sur ce plancher mouillé. Cette voix ténébreuse les surprit, d'autant plus qu'elle provenait d'un être si jeune, au visage doux.

— Que puis-je faire pour vous, brave peuple ? annonça-t-il.

Cette voix venue des profondeurs de l'abîme les figea de peur. Personne ne répondit.

— QUE PUIS-JE FAIRE POUR VOUS ? répéta-t-il.

Enfin, une personne osa se relever et dit :

— Ô grand Naga, depuis que vous ne brillez plus au firmament de Nagal et depuis que la pluie ne cesse de tomber, nos réserves de nourriture se sont contaminées. Des moustiques sont apparus et ont causé bien des souffrances. Certains des nôtres sont décédés et d'autres sont à l'article de la mort. Nous implorons votre venue. Que le soleil resplendisse sur nos terres, apportant chaleur et sécheresse ! Que la joie de vivre revienne, ô grand Naga ! Nous implorons vos chauds rayons pour réchauffer notre cœur et nos os. Ô grand Naga, que ta protection illumine nos vies !

Belzébuth dans le corps de Nayan se délectait d'entendre une si belle et poignante supplication. Il grogna et pouffa de rire. Ce peuple ne priait plus depuis deux semaines le dieu du Soleil. Il n'était pas question d'oublier son manque de piété et de recommencer à rayonner comme si rien ne s'était passé. D'un doigt, il pouvait éloigner ces nuages pour quelques jours, mais ces gens ne le méritaient pas.

— Vous croyez qu'il suffit de revenir à moi pour que je vous pardonne ? Ce n'est pas ainsi que je vois les choses.

Nayan se dressa et d'un geste circulaire montra l'état délabré du bâtiment, du toit et des pierres au sol.

— Ce temple n'est pas à ma hauteur. Je veux et j'exige que toutes les pierres des trois temples soient démontées et que la statue de la déesse de la Lune soit détruite. Qu'une tour soit construite pour m'honorer, POUR N'HONORER QU'UNE SEULE DIVINITÉ, MOI. Elle devra s'élever sur une hauteur de 66 mètres et comporter 333 portes, une porte pour chacun de mes rois, princes, comtes et chevaliers de l'enfer. Alors, je vous ordonne de détruire tous les temples et de bâtir un temple digne de moi.

Tout le peuple frissonnait sous cette voix puissante et grinçante. Belzébuth s'amusait et goûtait ce moment tant attendu en caressant sa joue. Il constata cependant que le peuple n'avait toujours pas répondu à son ordre. Alors, il cria :

— FIDÈLES, ACCEPTEZ-VOUS CES CONDITIONS ?

Trop apeuré, personne ne répliqua. Il fulmina de rage. Son visage s'assombrit et deux cornes crochues apparurent au sommet de sa tête. Ses doigts se déformèrent et sa peau se noircit.

— BANDES DE CRÉTINS, cria Belzébuth, POUR LA SECONDE FOIS, JE VOUS LE DEMANDE, ACCEPTEZ-VOUS CES CONDITIONS ?

— Oui, ô grand naga, nous acceptons ces conditions, dirent en chœur les fidèles. Dès demain, nous détruirons tous les temples. Nous bâtirons un temple digne de vous, ô grand naga !

— J'AI DIS UNE TOUR, répéta-t-il, QUI MONTE JUSQU'AU CIEL. DE LÀ, JE POURRAI ENFIN VOUS ADMIRER, ADMIRER MES FIDÈLES.

Il éleva les yeux vers le ciel et vit deux dragons qui s'amusaient à voler dans cette pluie battante au-dessus du temple.

— Je commençais à m'engourdir, dit Draha. Cette pluie est froide et ravigotante.

— Moi aussi, compléta Spino en étirant la langue pour saisir quelques gouttes de pluie. Ce peuple est vraiment trop bizarre. Un jour, on me prie et le lendemain, on me tire des roches. Vraiment, ce peuple ne mérite pas ma considération. Hum… je me demande…

— Quoi, mon beau Spino?

— Je me demande où sont passés les jolis cobras, tu sais ceux qui se dressaient si bien près de nous, l'autre jour. Je ne les ai pas vus depuis quelque temps. J'espère que les moustiques ne les ont pas tués. Ce serait si triste.

— Je ne pense pas. La dernière fois, ils se trouvaient au temple du dieu du Soleil. Si nous allions voler au-dessus de ce temple? La dernière fois, les mignons petits reptiles étaient là et ils faisaient un joli cercle presque parfait.

— J'adore ton humeur. Tu es ravissante… hum… tes yeux sont magnifiques, tu sais.

— Oh! Spino. Ne sois pas trop romantique. J'ai faim. Nourrissons-nous et après on verra s'il nous reste du temps pour jaser.

— D'accord! Filons tout droit vers ce temple.

Ils tournoyèrent au-dessus du temple et ils furent remplis de joie en voyant les jolies créatures qui se dandinaient au périmètre de la salle.

— Oh! oh! ils sont là. Ils sont trop charmants. Miam, miam, bava Spino. Je fonce, tu me suis.

— Oh que oui, mon adorable Spino!

De sa tête dure comme le roc, Spino agrandit l'ouverture à la surprise générale de la foule à l'intérieur du temple. Draha le suivit par derrière et défonça un autre pan de la toiture. Une pierre échoua directement sur Nayan qui fut tué sur le coup. D'autres pierres tombèrent sur la foule tuant trois personnes et blessant gravement une dizaine d'autres. Draha cracha du feu en direction d'un cobra qui sentit sa peau roussir. Elle l'attrapa et l'avala d'un coup.

— Délicieux! cria Draha.

Spino fit de même et en dégusta un.

— Un délice, c'est fondant comme tout, dit Spino. Un vrai festin.

Ils remontèrent vers le ciel et firent un autre piqué pour s'attaquer à deux autres cobras. La foule s'enfuit en criant d'horreur.

Certains furent projetés contre les murs et le chambranle de la porte d'entrée. Une dizaine de personnes affolées chutèrent et moururent piétinées.

Draha et Spino s'élancèrent dans le ciel, rassasiés. Tous les deux appréciaient ce moment de liberté et ne désiraient qu'une chose : ne pas interrompre ce bonheur de voler. Purnima avait vu les dragons pénétrer à l'intérieur du temple et, par la suite, les fidèles se disperser à l'extérieur en hurlant de frayeur. Consternée par cette panique générale, l'ex-Nagi demanda aux chevaliers de ramener les bêtes au sol.

— Ils sont trop loin, dit Picou. Ils ne peuvent nous entendre.

Waldo, très inquiet pour sa bien-aimée, s'écria :

— Vous pouvez faire quelque chose. Ramenez-les par la magie.

Avait-il vraiment le choix ? Les dragons prenaient plaisir à voler. Picou chercha une solution pas trop énergivore. Il regarda les jumeaux.

— Je crois que j'ai une mesure pour faire cesser leur escapade aérienne avant qu'il n'arrive un autre incident. Créons un filet qui ralentira leur course et les fera atterrir !

— Comme un filet de pêche? demanda Nina.

— Oui, sauf qu'il faudra qu'il soit immense, pas trop petit pour les blesser, mais assez grand pour bien les envelopper.

Purnima trouva qu'ils étaient trop soucieux du bien-être de ces bêtes qui avaient causé la mort et infligé des blessures graves à une quarantaine de personnes. Elle oubliait que ces bêtes étaient aussi Inféra et Adora. Ils pointèrent leur baguette et, en quelques secondes, un filet venant de nulle part s'ouvrit et se déploya sur les ailes des dragons. Spino et Draha eurent de la difficulté à maintenir un vol régulier et, tranquillement, ils perdirent de la latitude. La stratégie fonctionna.

Belzébuth fut atterré d'être aplati par une pierre comme un simple moustique sous l'action d'une tapette à mouches qui s'abat sur sa proie. Il sacra comme un charretier. Ce n'était pas facile de trouver un corps qui inspire autant confiance au peuple que celui de Nayan. Les deux dragons l'avaient impressionné, mais il ignorait d'où ils venaient. Est-ce que Satan lui envoyait des bêtes venues de l'enfer pour lui transmettre son impatience à la construction de sa tour ? Au moins, ces bêtes avaient accompli une partie de sa mission en détruisant davantage le temple.

Le bâtiment était vide. Les morts et les blessés avaient été transportés loin de l'édifice. Dans la ville de Nagal, après les cris déchirants, le silence de la nuit s'était installé. On n'entendait que la pluie qui tambourinait sur les toits et lavait le sol souillé. Craignant la colère de Satan, il s'activa à cette tâche difficile : la recherche d'une possession. Huit najas abandonnés par les gardes rampaient dans le temple. Encore trop secoués par l'attaque des dragons, ils se traînaient sans but précis. Belzébuth ragea. Il n'avait d'autre choix que de prendre contact avec ces reptiles si peu élégants.

De nouveau dans le corps d'un serpent, il partit en quête d'un homme répondant à ses attentes. Il rôda dans la pénombre de longues heures. Il s'introduisit dans de nombreuses résidences sans découvrir celui qui lui conviendrait parfaitement. Lorsque l'aube se pointa, il aboutit dans un salon où un rat vêtu d'une tunique, quatre femelles et deux mâles dormaient. Le cobra fut attiré immédiatement par ce rat de compagnie, mais Belzébuth le força à ramper jusqu'à Waldo. Ce corps était parfait, un Elfe au visage jeune et irrésistible. Il prit contact et se libéra du corps de son hôte. Pour ne pas que le cobra dévore le rat et que des soupçons de sa présence soient éveillés du fait de la disparition de cet animal de salon, il tua le reptile.

Au réveil, Purnima cria. La vue d'un cobra mort près de la troupe la secoua. Les filles crièrent de dégoût tandis que le groupe se réveilla en sursaut. Après une courte inspection et heureux d'être sain et sauf, Andrick se proposa pour vérifier l'avancement de l'état cadavérique de l'intrus. Il apposa sa main.

— La mort remonte à une heure ou deux, dit Andrick. Il est encore chaud.

Adora se colla contre Waldo et ne voulut plus regarder ce naja. L'œil attentif, Arméranda surmonta sa répugnance. Elle ne remarqua aucune trace de violence, de morsures ou autres indices ayant provoqué son décès.

— Rien, dit-elle. Pas une goutte de sang. Ce cobra est mort à nos pieds. Que cherchait-il?

Picou frissonna d'horreur.

— Un rat, répondit-il.

— N'empêche que sa mort est surnaturelle et demeurera un mystère, renchérit Arméranda.

CHAPITRE 20

LA POSSESSION

Depuis quelque temps, la vie des Nagaliens n'était plus la même. Le temps plus frais et l'humidité accablante irritaient non seulement les villageois, mais aussi les stratos. Cueillir l'eau n'était plus une corvée, mais il fallait quand même rechercher de la nourriture fraîche. Aucune construction n'était adaptée à cette pluie et aucun contenant n'était assez étanche pour empêcher que les aliments ne pourrissent.

De plus, il fallait enterrer de nombreux morts, ceux que les moustiques avaient tués, ceux écrasés par les pierres et ceux piétinés par la foule. Le grand Naga les avait beaucoup déstabilisés par ses propos. Avant de mourir, il avait exigé la construction d'une tour de 66 mètres de haut et d'une quantité phénoménale de portes. Tout cela ne rimait à rien. L'avatar de la déesse de la Lune, une jolie dame, ainsi que sa compagne s'étaient transformés en dragons maléfiques. Ils ne croyaient plus à cette déesse. La morosité avait atteint son point culminant et personne ne se rendit dans un des temples pour vénérer une divinité quelconque. C'est alors que Belzébuth sentit le besoin d'aller parler à Satan, histoire de lui faire part de ses péripéties et de ses dernières possessions qui eurent une vie très brève.

— Grand Prince, toutes mes possessions sont mortes l'une après l'autre. Je crois que ma dernière possession sera la bonne. Elle n'est pas dans la mire de ce peuple en déchéance, dit Belzébuth. J'implore votre aide pour que le peuple primitif comprenne l'importance de ma nouvelle possession et qu'il la respecte.

— Quelle possession as-tu?

— Un homme. Il est grand et ma foi, très beau. Ses oreilles sont légèrement effilées.

— Hum... C'est un Elfe. Bon choix, prince des Ténèbres. Ils vivent plus long-temps que les humains, presque une éter-nité, blagua Satan. Je ferai tout ce qui est à ma disposition pour te venir en aide. Je veux ce peuple à mes genoux et t'obéissant aussi.

— Cela ne devrait pas tarder. Ils sont à deux doigts de se pendre ou de s'immoler. Cette pluie les a affaiblis. Tout ce que je veux, c'est un effet monstre. Je veux que la pluie cesse lorsque ma possession en demandera l'ordre.

— C'est tout !?

— C'est tout !

— Ce ne sera pas bien compliqué avec mes 44 635 566 combattants. Ils vont balayer au loin les nuages le temps qu'il te faudra.

— Trois jours devraient suffire pour les émouvoir, mon Prince, ricana-t-il. Ils n'en peuvent plus de sentir la puanteur des morts et des aliments contaminés.

Satan pouffa alors d'un rire méphistophélique.

— Ah ! Comme j'aimerais voir leurs pau-vres visages tout tristes.

— C'est délicieusement pathétique ! s'exclama Belzébuth.

299

— À quand le rite satanique?

— Très bientôt, répondit Belzébuth.

— Mais détruire les temples et faire construire ma tour par des humains prendront une éternité.

— Oh! J'avais pensé à un petit tremblement de terre pour que les temples s'écrasent d'eux-mêmes au sol et ensuite à une belle et grande éruption volcanique pour que ces paresseux réagissent. Un petit spectacle de boucane, ricana-t-il, ça devrait les impressionner assez pour qu'ils s'activent. La terre qui tremble et les jets de lave rougeoyants devraient les apeurer au point de vouloir construire votre tour, grand Prince. Ils ont de belles bêtes fortes, des stratos, qui ne demandent qu'à travailler.

Satan rit et s'écria :

— Tu es plus diabolique que moi, mais ne fais pas trop le malin, je suis ton supérieur.

— Loin de moi cette pensée, je suis déjà… hum… au septième ciel avec ces païens, si vous voyez ce que je veux dire.

— Ha! Ha! Ha! Je vois que tu n'as pas perdu ton sens de l'humour. Va t'éclater sur cette terre d'impurs.

✤ ✤ ✤

Purnima préparait le déjeuner avec ses deux filles, Adrika et Maiya. Elle s'arrêtait de nombreuses fois, fatiguée de porter l'enfant. Elle appréciait les efforts de sa famille pour alléger les tâches ménagères. Son mari avait quitté la maison pour cueillir des herbes comestibles qui poussaient. Adrika, malgré son jeune âge, passait le balai et Maiya faisait plus de saleté qu'elle n'aidait. Sur la table, il y avait à peine de la nourriture pour quatre personnes et du thé. Une odeur nauséabonde se répandait dans la ville et pénétrait par les ouvertures. Les gens rejetaient les aliments pourris à l'extérieur au lieu de les enterrer.

— Il faudrait enfouir ces déchets, dit Picou, et si possible les brûler. Cette odeur est insoutenable.

— Puisque vous faites de la magie, ne pourriez-vous pas accomplir une bonne action en faisant cesser cette pluie et en ramenant le soleil ?

— Hélas ! Notre pouvoir est limité, répondit Picou. Cette pluie demanderait énormément d'énergie pour la déplacer et permettre au soleil de briller à nouveau. Le mieux serait de rechercher la cause. Il pleut depuis trois semaines. Ce n'est pas normal.

Comme je l'ai dit, ce n'est pas de notre ressort. Un démon commande ce temps exécrable. Comme nous sommes de trop et inutiles, nous pensions quitter les lieux, reprendre notre voyage et retrouver le dragon d'eau.

— C'est bien beau tout ça, mais que va dire le peuple ?

— J'ai bien peur qu'ils nous détestent et notre départ ne peut être qu'une source de joie. Vous êtes la Nagi. Le peuple vous respecte, dit Arméranda, même si ces jours-ci, ils semblent confus et perdus. Vous devez restaurer cette confiance et le peuple vénérera en vous la déesse de la Lune.

Ces paroles réconfortèrent Purnima. Dans quelques semaines, son enfant allait naître et elle se demandait dans quel monde il allait voir le jour. Elle leur tendit un bol de fruits. Ceux-ci refusèrent.

— Dans votre condition, vous et vos enfants en avez plus besoin que nous, dit Inféra. Nous prendrons du thé seulement.

C'est alors que Waldo se leva sans dire un mot et sortit au-dehors en marchant de façon mécanique. Intrigués, ses amis et la famille de Purnima le suivirent. Une fois à l'extérieur, il examinait le ciel sans rien dire. La pluie coulait sur son visage.

— Mais qu'est-ce que tu fais? demanda Adora.

Il ne répondit pas. Il semblait investi d'une mission. Sa façon de se tenir et de regarder au loin affola sa bien-aimée.

— Waldo, tu es si bizarre! Réponds-moi, je suis là, mon amour!

Son amoureux ne broncha pas, ne la regarda pas et ne lui répondit pas. Il se contenta de tendre un bras vers le ciel; les nuages se retirèrent sur une bande étroite et la pluie cessa dans cette partie de la voûte céleste. En n'entendant plus la pluie marteler le toit des maisons et les rues, des gens émergèrent de leur habitation. Ils observèrent la zone sans pluie correspondant à la région bleutée du firmament. Les cris de joie firent mettre le nez dehors à d'autres personnes encore sous l'influence de la pluie. Elles marchèrent vers l'ensoleillement et elles virent l'Elfe relever son autre bras et les écarter pour s'arrêter en ligne droite au niveau des épaules. Un miracle se produisit. Tous les nuages disparurent d'un seul coup. Le ciel était d'un bleu pur et le soleil dardait la cité de ses chauds rayons. Les gouttes d'eau sur les toits, dans la rue, sur les pierres, brillaient comme des diamants.

Les chevaliers du Pentacle ne comprenaient pas ce qui se passait tandis que la foule y vit un nouveau dieu. Tous s'accroupirent et déposèrent leur front au sol encore trempé. Après tout ce qu'ils avaient enduré, la fin de leurs souffrances venait d'arriver. Par malheur, ils ignoraient qu'une longue succession de calvaires ne faisait que débuter. Un enfant tout près de la troupe cria avant de s'incliner à nouveau :

— Ô grand Naga.

La foule se releva. La vérité venait de jaillir de la bouche d'un enfant. Elle applaudit et fit une haie d'honneur qui se poursuivait jusqu'à l'entrée du temple dévasté dont quelques pans de murs tenaient encore debout. Une brume de chaleur blanchâtre s'éleva de la terre. Elle produisit un effet irréel et paradisiaque sur le paysage et le rassemblement prit une allure angélique. Waldo fendit ce nuage féérique en marchant dans la vapeur céleste. Il conservait une démarche mécanique et pesante qui ajoutait du prestige et de la solennité. Il se dirigea vers l'entrée du temple. La troupe le suivit. Ils étaient tous inquiets de son changement d'attitude.

Une fois à l'intérieur, il gravit les sept marches et s'assit. D'une voix rauque, il proféra :

— Je suis votre nouveau dieu. J'ordonne la construction de ma tour.

En percevant cette voix si différente, Picou chuchota à ses camarades :

— Non, non, non ! C'est lui le possédé !

Adora l'entendit et elle pleura. Son Waldo était possédé.

— Sortons d'ici, dit Picou. J'ai un plan.

Quelques instants plus tard, la foule enchantée sortit du temple en chantant. Leur nouvelle divinité leur avait demandé de bâtir sa tour, une tour qui devait s'élever à 66 mètres de hauteur. Ils avaient à peine quitté les lieux que la terre trembla. Des fissures se manifestèrent et se concentrèrent près des pyramides. Les secousses étaient de plus en plus fortes et les grondements, de plus en plus assourdissants.

Adora paniqua. Elle hurla à plusieurs reprises le nom de son amoureux, bien qu'elle sût que ce vacarme d'enfer couvrait sa voix. Elle marcha à contresens du flot en se faisant frapper par les autres qui fuyaient les lieux. Elle parvint à rejoindre son bien-aimé qui courait dans le même sens que la marée humaine. Mais où aller quand la terre tremble? Les trois temples et plusieurs maisons s'écroulèrent dans un vacarme infernal. Un nuage de débris et de poussière s'éleva, rendant l'air irrespirable. Ils firent comme la plupart : ils se couchèrent au sol. Lorsque le calme revint et que la poussière retomba, ils purent constater que les pyramides étaient toutes détruites. Les chevaliers s'attendirent à une révolte de la population. Au lieu de cela, ils étaient ravis et se remirent à chanter.

— Mais qu'est-ce qui se passe? demanda Waldo.

— Hein? dit Andrick, c'est toi qui devrais nous le dire après tout ce que tu as réussi à faire.

— Qu'est-ce que j'ai fait? se demanda-t-il.

— Quoi? s'étonna Adora. Tu ne t'en souviens pas?

— Je ne me souviens de rien.

— Comment est-ce possible ? dit Arméranda. Tu as chassé les nuages et tu as fait trembler la terre.

Il devint blême. Il ne comprenait plus rien. Instinctivement, il avait envie de regarder si le diamant bleu était revenu dans sa pochette.

— Et le diamant bleu ?

— Le diamant bleu ? répéta Andrick.

— Où est-il ?

— Bien, voyons, Waldo, le rassura Adora, il est où il doit être, au front de la statue de la déesse de la Lune.

— Je ne suis pas si sûr que ça, affirma Waldo. Et si nous allions voir dans les ruines ?

En marchant dans les décombres, ils découvrirent une statue sectionnée. Entre-temps, Purnima les avait rejoints. Comme Waldo l'avait présumé, la pierre n'y était plus. L'Elfe devint pâle. Il saisit la pochette accrochée à sa ceinture et la vida dans sa main. Elle n'y était pas. Il se réjouit. Ses gestes laissèrent de plus en plus perplexe son entourage immédiat. Picou avait un plan et il souhaitait que tous se réunissent dans la maison de l'ex-Nagi afin d'examiner leur compagnon.

— Viens, dit Picou. Tu dois être fatigué.

— Oui, en effet, je suis extrêmement fatigué.

À l'intérieur, tout était sens dessus, sens dessous. Exténué, Waldo s'écrasa au sol.

Belzébuth, qui s'était retiré du corps de Waldo, constata que la population rentrait chez elle au lieu d'entreprendre la construction, comme il l'avait prédit à Satan. « Ah! Ces damnés humains. Je dois donc m'en mêler. La terre tremblera à nouveau, mais avec beaucoup plus de force. Ha! Ha! Ha! De tels tremblements, combinés à de belles et chaudes éruptions, je crois que cela aura un effet diaboliquement spectaculaire. Ces damnés humains comprendront la nécessité de construire cette tour pour honorer mon prince. »

Il claqua des doigts et la terre se mit à trembler avec plus de force. Le ciel se couvrit d'un immense panache de fumée noire et étouffante. Le volcan Magma, situé à des kilomètres de Nagal, laissait échapper de son cratère de la lave rougeâtre et charbonneuse. Picou n'eut pas le temps d'examiner

Waldo et de procéder à une séance d'exorcisme. Belzébuth réintégra son corps en sifflant de joie et en crachant du feu.

Sous un ciel apocalyptique, Waldo réapparut à la population, cette fois-ci sous l'image d'un démon sorti tout droit des enfers. Des ailes noirâtres surgirent de son dos et sa langue était fourchue. Ses mains si parfaites s'allongèrent en doigts boudinés aux ongles acérés. Les enfants pleuraient et les plus âgés étaient pétrifiés. D'une voix puissante, il hurla :

— PEUPLE DE MÉCRÉANTS ET D'ENFOIRÉS, VOTRE DIEU A BESOIN DE SON TEMPLE. CONSTRUISEZ-LUI SA TOUR, SINON LES MOUCHES REVIENDRONT MILLE FOIS PLUS NOMBREUSES, LES EAUX DEVIENDRONT IMBUVABLES ET SE TRANSFORMERONT EN SANG, DES SAUTERELLES VIENDRONT MANGER VOS DERNIÈRES RÉSERVES ET UNE ÉPIDÉMIE VOUS RAVAGERA LA PEAU ET LES ENTRAILLES. QU'ATTENDEZ-VOUS, BANDE DE LÂCHES ! VOTRE PARESSE NE FERA QU'AUGMENTER LA FUREUR DE MON PRINCE. METTEZ-VOUS À L'ŒUVRE AVANT QUE JE METTE MON PROJET À EXÉCUTION !

Malgré la suie qui tombait, les hommes se précipitèrent dans l'étable pour atteler les stratos. Sans un plan et des directives claires, cette tour ne pouvait pas se bâtir selon les règles de l'art. Pendant des jours et des nuits, il n'y eut aucun réel avancement des travaux. Les pierres furent déplacées et empilées selon leur grosseur, puis une tentative de construction d'une base fut élaborée. Elle se solda par un échec lamentable. Les stratos étaient maltraités. Les hommes les fouettaient pour qu'ils travaillent plus vite. Quelques-uns moururent en plein devoir. Les dragnards et les yokeurs avaient été épargnés, mais au rythme où les animaux mouraient, les habitants n'hésiteraient pas à les utiliser. Waldo, durant tout ce temps, conserva son apparence hideuse. Il se tenait debout à l'extérieur de la maison, surveillant les travaux à la manière d'un contremaître. Lorsque les tentatives d'édification du second étage se soldèrent encore une fois par un éboulement, il rugit et des éclairs fusèrent.

Malgré les interventions magiques de Picou pour extirper le démon, aucune de ses actions d'eut d'effet bénéfique sur lui. Il essaya, mais malgré une vieille formule, «hocus pocus», et des incantations adressées au créateur de la nature et aux forces du bien, le démon demeurait imperturbable. Adora ne pouvait supporter la vue de son bien-aimé ainsi transformé. Elle se rongea les ongles au point qu'elle commença à se mordre. Elle comprenait que son dragon ne pouvait combattre ces forces démoniaques et puissantes provenant des entrailles de la Terre. Purnima lui présenta différentes tisanes pour la relaxer, mais rien ne la détendit.

— N'y a-t-il pas quelque chose d'autre à faire que de lancer des sortilèges et d'implorer des forces qui demeurent insensibles à notre détresse ? sanglota Adora vivement inquiète.

— Si, dit Picou.

Il prit une pause avant de poursuivre :

— Sans vous insulter, Nina et Andrick, il me faudrait l'aide de plusieurs enchanteurs expérimentés pour chasser ce démon. Il est très puissant et bien implanté dans le corps de notre compagnon.

Le magicien fit signe au groupe de s'éloigner de l'entrée et de se tenir au fond de la maison dans une autre pièce attenante au salon. Il monta au haut d'une chaise. Une fois-là, il livra ce terrible message loin de Waldo et loin du vacarme des ouvriers :

— Je crains… qu'il faille le tuer.

— Le tuer ? s'écria Adora en larmes.

— Chut ! Ne criez surtout pas. Je ne voudrais pas qu'il nous entende. Vous vous souvenez de l'histoire de la mouche ?

— Mais Picou, ça n'a pas d'allure ! murmura Nina en fronçant les sourcils. Tu ne vas tout de même pas l'aplatir du revers de la main, le tuer comme un vilain insecte !

— Chut ! Chut ! Chut ! Laissez-moi d'abord vous expliquer avant de tirer des conclusions trop hâtives. Je veux le tuer momentanément, rassura le rat. Je veux faire cesser son cœur de battre assez longtemps pour chasser le démon, le temps que le démon s'aperçoive que sa possession est décédée. Ensuite, j'enlèverai ce sort pour que le cœur batte à nouveau.

— Est-ce risqué ? demanda Purnima, stupéfaite d'une telle proposition.

— C'est risqué, mais surtout, je crois que le démon cherchera un autre corps dès qu'il s'apercevra qu'il ne respire plus. Alors, mieux vaut prévenir que guérir. Avez-vous, chère dame Purnima, de l'ail ?

LA POSSESSION

— Pour quoi faire ? demanda-t-elle.

— Les esprits maléfiques détestent l'odeur de l'ail, s'étonna Picou qu'elle ne connaisse pas cette vérité. Alors, il nous faut de l'ail pour nous protéger.

— Oui, confirma Ashia en se retournant vers l'ex-Nagi, selon mes recueils d'herboriste, l'ail éloigne les êtres malfaisants, mais je n'ai jamais eu à le tester. Alors, je ne fais que répéter ce qui est écrit.

— Justement. Et si cela ne fonctionnait pas ? dit Arméranda qui appréhendait que cette intervention tourne mal. Si Waldo ne se réveille pas ? Je veux dire, et si son cœur ne se remet pas à battre.

Découragée, Adora s'écrasa sur une chaise en pleurant à gros sanglots. Inféra, qui se tenait près de la jeune cavalière, ne se gêna pas pour lui pincer l'avant-bras. Elle lui jeta un regard dur en secouant la tête en direction de l'Elfe comme pour lui indiquer de la ménager.

— Je ne vois que ce choix, chuchota Picou. Ce démon est tenace. Aucune magie ne semble l'affecter. Je ne vois que cette solution.

Arméranda, Nina et Inféra ne trouvèrent aucun mot pour consoler la porteuse de dragon. Andrick réfléchit tout haut et se demanda :

— N'y aurait-il pas un ingrédient qui pourrait expulser ce démon, comme une pâte d'ail, de rhizome d'iris ou de gingembre qu'on pourrait asperger sur lui ? Une méthode moins dramatique.

— Pas à ce que je sache, soupira Picou.

Reniflant, Adora releva la tête et dit :

— Puisqu'il le faut, procédons à cette..., hésita-t-elle en s'essuyant les yeux, ...à cette mort en espérant que mon bien-aimé ne périsse pas.

Purnima se souvint alors que le rat magicien lui avait demandé de l'ail.

— Il me reste de l'ail. Combien en voulez-vous ?

— Suffisamment pour nous tous, votre famille et pour Waldo lorsque je l'aurai ressuscité.

Elle fouilla dans son garde-manger. Elle n'avait que quatre gousses d'ail.

— Il nous en faut 12, dit Inféra après avoir compté les personnes présentes et inclus le possédé.

— En effet. Andrick et Nina, chargez-vous d'en faire la multiplication ! ordonna

Picou. De mon côté, j'ai besoin de tous mes pouvoirs pour accomplir ce sortilège.

En deux temps trois mouvements, 12 gousses d'ail apparurent. Picou, de son côté, fit surgir 12 colliers avec une amulette pouvant dissimuler les gousses et il demanda à chacun d'enfiler un collier. Purnima sortit des branches de sauge et en alluma plusieurs paquets.

— C'est pour éloigner les mauvais esprits, dit-elle.

— D'accord! Je n'y vois aucun inconvénient. Maintenant, écoutez-moi attentivement, dit Picou. Attendez-vous à des rugissements et des cris épouvantables de la part de Waldo. Ne vous laissez pas impressionner. Et surtout, ne vous approchez pas de lui. Ce démon est très puissant et vous êtes très vulnérable, même avec une gousse de protection. Dès qu'il ne bougera plus, Arméranda, tu iras vers lui et tu lui glisseras le collier. Compris?

Tous acquiescèrent. Ils revinrent à l'entrée. Picou, d'un grand geste, arrêta le cœur de Waldo. Ce dernier s'écroula au sol. De grandes secousses parcouraient son corps. Il se mit à gigoter dans tous les sens et à se tordre de douleurs. Il criait dans une langue étrangère, un mélange de grognements, de sifflements et d'aboiements de chien entrecoupés de mots incompréhensibles. Le magicien se contracta et grimaça. Il devait déployer une grande énergie pour maintenir le cœur arrêté, car Belzébuth se débattait pour garder son corps d'adoption en vie. Des flammes jaillirent de la tête de Waldo et une fumée noire et opaque l'entoura. Nina et Andrick retenaient Adora qui voulait le secourir. Elle criait et se débattait avec violence. Lorsque la fumée se dissipa, l'Elfe n'était plus là. Le corps avait disparu. Belzébuth l'avait emporté avec lui. Le groupe resta estomaqué et Adora tomba sans connaissance.

— Vite ! cria Picou épuisé. Il faut le retrouver et lui enfiler le collier.

En désignant Arméranda comme la personne responsable pour glisser le collier au cou de Waldo, Picou savait qu'elle serait la seule à réagir à son commandement. En effet, Inféra, Nina et Andrick étaient tous ébranlés par les événements et ne bronchèrent pas d'un iota. Ils étaient comme pétrifiés.

Sans hésiter, Arméranda saisit le collier et courut. Elle suivit une trace noire et, fort heureusement, il n'était pas très loin.

Elle le retrouva sur la toiture de la maison. Il avait repris sa forme originale. Étendu de tout son long, la jeune cavalière éprouva un malaise à voir l'Elfe livide et sans vie. Elle combattit son inertie pour enfiler le collier à son cou. Du haut du toit, elle cria :

— Ça y est !

Aussitôt, Picou réactiva le rythme cardiaque et le décédé bougea le bout de ses pieds et de ses mains. Adora courut au dehors et sanglota en attendant que Waldo soit transporté au sol. Il avait de nombreuses ecchymoses et des brûlures au visage. Adora et Purnima le soignèrent, et Ashia lui prépara une boisson pour le soulager de ses douleurs.

Des rugissements et des coups de tonnerre retentirent de longues minutes et la terre trembla une dernière fois. Puis, les nuages de poussière et de saleté se dissipèrent et un soleil éclatant refit surface. Il y eut un silence. Plus personne ne travaillait. Un vent souleva la cendre et nettoya les environs. Une scène déprimante apparut. Le chantier montrait un enchevêtrement épouvantable de pierres.

Soulagés d'un arrêt de travail, les gens rentrèrent chez eux après cinq jours et quatre nuits à travailler sans arrêt. Durant ces trois semaines, la population avait diminué de moitié et les habitations, suite aux nombreux tremblements de terre, n'étaient plus que des résidences à moitié éventrées ne pouvant plus les protéger des intempéries et des rayons ardents de la journée. Le soleil se couchait et le ciel s'empourpra. Quelques cigales craquetaient.

Picou avait sombré dans un sommeil réparateur. Tout son corps était devenu aussi lourd qu'une pierre. Inféra se chargea de le soigner et elle le garda près d'elle dans la pochette de sa veste. La chaleur de sa copine lui fit un bien immense et cette énergie le poussa à guérir plus vite.

— Le calme avant la tempête, dit pensivement Arméranda. Ce Belzébuth reviendra. Il n'a pas crié ses derniers râlements.

CHAPITRE 21

LE SONGE

La nourriture restait la principale préoc-
cupation. Quelques herbes poussaient
ici et là, mais rien de valable pour nourrir
toute une population. Un autre rythme s'était
établi, il pleuvait la nuit et le soleil brillait le
jour. Pour les chevaliers du Pentacle, il était
grand temps de partir. Plus personne ne
les retenait. Les temples étaient détruits
et les Nagaliens avaient perdu toute foi pour
une quelconque divinité. Une grande morosité et une grande détresse s'étaient instal-
lées. Complètement désillusionné, le peuple
errait dans les rues comme en quête d'une

LE DIAMANT DE LUNE

signification à tous ces bouleversements. Purnima craignait que les gens se rebellent si d'ici quelque temps une présence surnaturelle ne se manifestait pas. Assis autour de la table, la famille de Purnima et les chevaliers se partageaient une soupe composée de quelques herbes, d'un peu de sel, d'une cuisse de poulet et de beaucoup d'eau.

— Belzébuth doit chercher une autre âme, se questionna Picou qui reprenait du mieux. Qui pourrait être le prochain?

Purnima, qui en était à son dernier mois, caressait son ventre. Un enfant grandissait et bientôt, il verrait le jour.

— Dans une semaine ou deux, mon enfant naîtra.

Puis, elle regarda son mari.

— Cette fois-ci, Gulzar, ce sera un garçon. J'en suis sûre. Une femme ne se trompe pas.

Gulzar se leva et alla l'embrasser sur le front et caressa le ventre de sa femme. Il sentit un coup de pied sous sa main et il rit. C'est alors qu'Arméranda eut une vision terrible. Elle trembla et elle cria comme si une décharge électrique l'avait atteinte :

— IL FAUT FUIR D'ICI!

Les enfants autour de la table sursautèrent et les adultes portèrent leur regard sur
elle. Son visage était blanc et ses lèvres
tremblotaient.

— Mais pourquoi ? demanda Purnima.
Les jours sont maintenant meilleurs. D'ici un
mois ou deux, nous pourrons récolter des
légumes. J'ai remarqué des pousses de
carottes et de haricots. J'ai planté quelques
gousses d'ail et elles grandissent bien. Le blé
a atteint les 150 millimètres. D'ici quelques
mois, nous récolterons les grains de notre
labeur. Il faut s'armer de patience et ne
manger que des herbes en attendant la matu-
rité des légumes et des céréales.

— Je sais tout ça, dit Arméranda. Mais
Belzébuth n'est pas retourné chez lui et nous
n'avons aucune divinité qui nous protège.

— Et alors ? demanda Picou.

— Il se réincarnera dans cet enfant, suggéra la jeune cavalière. Je ne peux me l'expliquer, mais cette prémonition m'est apparue
si vive et si intense que je crois que l'esprit
des Anciens vient de me parler. Mes parents
nous contaient des histoires à nous faire
dresser les poils des bras. Et l'une d'elles
raconte que le démon avait pris possession
d'un bébé naissant.

L'horreur se lisait sur le visage des parents de l'enfant à naître. Les derniers événements donnaient raison à Arméranda. Essayant de cacher son inquiétude et pensant à ses enfants, la future maman signifia de cesser la conversation en levant ses sourcils et en dirigeant la tête vers les deux fillettes. La jeune cavalière comprit son geste et demeura silencieuse le reste du repas. La mère divertit Adrika et Maiya en racontant l'histoire d'une jeune princesse vivant dans un magnifique château et d'un prince charmant désirant l'épouser. Une grande nostalgie s'empara d'Adora. N'était-elle pas cette princesse et Waldo, le prince charmant ? Son bien-aimé eut la même pensée et il l'enlaça en écoutant l'histoire qui correspondait à leur ancienne vie.

Durant la nuit, Arméranda eut un songe. Une cité située le long d'une rivière sinueuse se divisait en plusieurs rues droites et carrossables. Des maisons solides en pierres rouges se dressaient le long de ses voies. Mais où pouvait se situer cette ville ? Seule dans cette agglomération, elle marcha et se rendit aux limites des habitations, là où un volcan se trouvait à quelques kilomètres. Elle revint sur ses pas et elle vit un navire bien d'aplomb. Elle s'approcha, c'était le trois-mâts que la troupe avait vu quelques semaines plus tôt. L'endroit était dégagé et aménagé. Elle vérifia les attaches. Il était lié à deux bollards. Une lumière bleutée sur le pavé, parvenant derrière elle, l'intrigua au plus haut point. Elle releva la tête et se retourna. Une statue se dressait devant elle. Elle reconnut la pierre bleue qui ornait son front. Elle se réveilla en sursaut.

Que signifiait ce rêve? Elle toucha à son collier de turquoise. Des vibrations le secouaient. L'esprit de ses Ancêtres lui transmettait un message. Ce peuple si douloureusement éprouvé allait retrouver son équilibre et la joie de vivre à cet endroit précis. Elle poussa un soupir de soulagement. Elle avait la solution. Une ville protégée par une divinité.

Au matin, elle raconta son songe à la famille de Purnima et à ses compagnons, en n'oubliant pas de faire allusion à la statue au milieu d'une place publique. Elle expliqua que les tremblements de terre des derniers temps, la pluie et le vent avaient contribué à éroder le sol et à déterrer les résidences. Quant à la présence de la statue, elle ne pouvait l'expliquer.

Les maisons carrées et en pierre s'étalaient le long de rues larges et pentues. Des rigoles drainaient les eaux pluviales. La pluie avait initié le processus de la croissance des plantes et à rendre fertiles les terres. Une rivière navigable y coulait.

— Je crois qu'il n'y a qu'une solution, dit Arméranda. Je dois m'y rendre pour vérifier la véridicité de mon rêve.

— Nous y allons tous, dit Waldo et si c'est vrai, quelques-uns reviendront pour vous en informer.

Lorsque Waldo sut qu'il avait été possédé, il n'avait qu'une idée en tête. Partir, partir, partir. Loin de cette cité dont le mauvais sort s'était acharné trop longtemps sur lui.

— Le diamant de Lune, s'il est là, poursuivit-il, c'est que la ville est protégée par une bonne divinité.

— Oui, dit Purnima. Si c'est vrai, je ne vois qu'une chose. Notre peuple doit déménager de Nagal. Je reconnais que cette ville est maudite.

Après un petit déjeuner frugal, la troupe s'éleva dans le ciel. Ils contournèrent le volcan en dormance et la ville se présenta comme un minuscule point. Trois heures plus tard, ils se posèrent au sol. La ville était telle que l'avait imaginée Arméranda dans son rêve.

— Je n'en reviens pas, c'est si irréel et à la fois si vrai.

Les maisons étaient en parfaite condition. Une rivière traversait le centre de la ville et, sur une rive, une avancée toute en pierre modifiait le lit du cours d'eau. Une statue ornait la place, entourée de bancs et d'arbres fruitiers naissants. La végétation n'était qu'à ses débuts. Andrick et Nina identifièrent de nombreuses plantes comestibles dans les espaces verts à l'avant des maisons. Des pointes d'iris annonçaient la floraison prochaine.

— D'ici quelques mois, cette ville sera belle, constata Adora.

Waldo s'approcha de sa bien-aimée et lui baisa la main.

— Il me semble que ça fait une éternité que je ne me suis pas aussi bien senti.

— Ah! moi, blagua Nina, j'adorais tes ailes et tes cornes sur ta tête. Tu étais charmant.

— Oui, rigola Picou.

Il reprit son sérieux et ajouta :

— Je pense qu'il serait grand temps qu'un de vous retourne aviser Purnima qu'une belle cité les attend.

Andrick et Nina se proposèrent comme volontaires. Ils arrivèrent au crépuscule. Purnima les attendit sur le pavé de l'entrée.

— C'est 10 fois plus joli que je ne l'avais imaginé, dit Nina toute souriante.

Purnima et son mari Gulzar annoncèrent la bonne nouvelle. Tous voulurent quitter immédiatement la ville. Malgré la noirceur et une pluie chaude, un convoi se prépara. Sur leur dos, on empila les chaudrons, la vaisselle, les quelques morceaux de vêtements et les couvertures. On se servit des stratos et du char du défunt Nergal pour y déposer les cages de poules et d'oies. Les vaches, les cochons et les moutons suivraient derrière. Sur les dragnards, on installa Purnima qui avait de la difficulté à marcher et des enfants en bas âge. Vers les 20 h, le convoi s'ébranla. Le déplacement fut long. Nina et Andrick marchèrent près d'eux.

Durant la nuit, la pluie s'intensifia. Ce n'est qu'à l'aube qu'elle cessa. Après une marche de 12 heures, complètement épuisés et trempés, ils arrivèrent à la ville qui se dressait devant eux comme un bijou dans un écrin de velours rougeâtre sous les rayons chauds du soleil. Lorsqu'ils découvrirent la statue à l'extérieur, ils s'agenouillèrent. Purnima déclara :

— Désormais, le temple sera cette place ouverte. La déesse communiera avec la nature et ses fidèles sans l'obstruction de murs. Trop de sang a déjà coulé lors de la construction d'un temple. Plus d'avatar, rien qu'un lien direct avec notre déesse. Qu'il en soit ainsi !

Un AUMMM de satisfaction retentit. Aussitôt, Purnima sentit une violente douleur à l'abdomen.

— Vite, cria Ashia, des couvertures et de l'eau chaude !

Un joli poupon vint au monde. On attribua à Purnima la maison la plus près de la place publique. Après toutes ces émotions, les gens s'approprièrent, un à un, une résidence et s'y installèrent. Certains firent une visite des environs. Ils trouvèrent des fraises, du mouron blanc, des pousses de mauves, des asperges, des agarics et des coprins chevelus. Le peuple se réjouit de cette mince cueillette. On prépara un bouillon qui réussit à sustenter les nouveaux arrivants. Les dragnards furent plus chanceux. Ils trouvèrent quelques petits rongeurs qu'ils dévorèrent avec satisfaction.

— Mission accomplie, dit Picou. Demain, nous partirons!

CHAPITRE 22

LA BELLE AUX EAUX DORMANTES

Ramon et Flavie perçurent de nombreux changements. Bien qu'éloignés, ils ressentirent les tremblements de terre et virent au loin les nuages de fumée et de cendres s'élever. La pluie tombait régulièrement et le sol asséché verdissait. Ils reconnurent des pousses de marguerites, de blé et quelques pointes d'asperge encore bien craintives. Une rivière s'était formée à 200 mètres des sculptures en forme de flûte. De là, elle se jetait à la mer. Le débit d'eau timide du début s'était modifié au cours des semaines pour donner naissance à une rivière navigable. Les abords abrupts de la falaise firent en sorte que la rivière se termina d'abord en une majestueuse chute d'eau. À cet endroit, les projections d'eau furent assourdissantes. Et lorsque le soleil dardait cette eau sous un certain angle, un arc-en-ciel se formait. Un spectacle impressionnant qui ne dura que quelques semaines. En effet, le sol étant très friable et composé d'un millier de trous et de petites grottes ; sous la pression de l'eau, cette chute fit s'effondrer la terre et, en peu de temps, la rivière parvint à s'écouler doucement jusqu'à l'océan.

Partout sur la Terre d'Achille, la nature reprenait ses droits. La flore renaissait. Quelques fleurs apparurent et les abeilles vinrent butiner ces plantes nouvelles. Des oiseaux parcoururent les lieux à la recherche d'insectes. La verdure se manifestait sur la totalité du territoire et le tapis de végétation abaissa la chaleur. Ramon et Flavie, qui passaient de nombreuses heures auprès d'Imarène, diminuèrent leur attention pour fouler ce sol de plus en plus hospitalier, mais pas au point de compromettre son confort.

Un matin, ils virent au loin un trois-mâts voguant sur cette nouvelle rivière et un vol d'oiseaux dépareillés. L'étrangeté de ces animaux différents dans un même vol les intrigua. Ils s'attendaient au pire. Ils se demandaient si les pirates étaient déjà en action. Peu à peu, ils distinguèrent des drag-nards et des yokeurs. Ils comprirent que ce groupe faisait partie des leurs. Le bateau ralentit et une fée s'envola tenant en main un cordage. Elle cria :

— Hé, ho, aidez-moi à attacher le navire !

Elle leur lança les cordages et Ramon saisit le câble pour l'attacher à une des sculptures.

— Pour une fois, cette drôle de décora-tion servira, gloussa de joie Flavie.

Les dragnards et les yokeurs atterrirent. Sur le pont supérieur, une jeune femme lança par-dessus bord une échelle en corde. Trois jeunes femmes descendirent en riant tandis que la fée se posa au sol. Les trois dragnardeaux sur le navire s'envolèrent et atterrirent. Aussitôt au sol, ils roulèrent dans l'herbe et essayèrent d'attraper quelques libellules qui voltigeaient dans les environs.

Les observateurs s'approchèrent des jeunes filles et leur cœur battait. La jolie demoiselle aux cheveux roux les attirait par-ticulièrement. Flavie se présenta :

— Bonjour, belle demoiselle, je me nomme Flavie et voici mon conjoint, Ramon.

— Maman! s'écria Inféra.

Elle se lança dans ses bras. Son père s'approcha de sa fille, hésitant, n'osant la déranger. Elle assécha ses larmes et se tourna vers son père.

— Papa, dit-elle.

Elle l'embrassa sur les joues et s'écria :

— Je n'en reviens pas. J'avais mis une croix sur les retrouvailles.

Il y eut beaucoup de présentations, d'embrassades et de larmes de joie. Picou n'osait partager cette joie. Ça lui rappelait trop leur consentement à ce qu'il soit le protecteur d'Inféra et métamorphosé en rat. Depuis ce jour, il n'était plus Philémon, un grand magicien, mais Picou, un rat blanc magicien.

— Philémon! dit Flavie. Comment vas-tu?

— Aussi bien qu'un rat le peut.

— Oh! dit Flavie pour le consoler, tu devrais te réjouir. Lors de la fusion du pentacle, tu redeviendras tel que tu étais.

— Justement, où est votre porteur de dragon?

— Elle dort, répondit Ramon.

— Elle dort? dirent en chœur les chevaliers du Pentacle.

— Disons que c'est un sommeil forcé, poursuivit Ramon. Son dragon est très convaincant pour effectuer de nombreuses sorties en plein air.

— Ah! s'exclama Inféra. Je crois que je connais ce problème.

— Moi de même, confirma Adora. Je crois que nos dragons veulent vivre et ont hâte de voler de leurs propres ailes.

Il y eut un moment de silence.

— Hum… c'est juste, conclut Ramon. Et pourtant, ils doivent attendre le grand jour.

— Tout ça n'explique pas où dort votre porteur? souligna Nina qui avait hâte de le connaître.

— Il s'agit plutôt d'une porteuse, une jolie sirène, annonça Flavie. Venez, nous allons vous la présenter. Elle est confortablement installée dans un lit d'algues à la grotte située sous nos pieds.

Andrick murmura à sa sœur :

— C'est incroyable, Inféra ressemble à son père.

— Hum… elle a les yeux de sa mère, je trouve.

À l'aide des échelles, ils arrivèrent sur le promontoire. Ils furent amusés de voir ce système d'échelles escamotables. Ils poursuivirent leur descente dans deux tunnels et ils pénétrèrent dans leur habitacle. Ils empruntèrent deux autres galeries souterraines où pendaient des échelles en corde. Au fond du couloir, des milliers de bougies brûlaient et une forme humaine était étendue plus loin. Seule sa tête sortait hors de l'eau. Ses longs cheveux vert écume flottaient sur l'eau. Andrick l'admira. Pour lui, c'était une beauté fascinante. Avant de réveiller la jolie sirène, Flavie les avertit :

— Méfiez-vous, cette jolie sirène a le pouvoir de vous ensorceler. Sa voix est mélodieuse et chantante.

Elle sortit de sa poche quelques bouts de cire avant de poursuivre les explications :

— Mettez ces boules de cire dans vos oreilles pour atténuer l'effet. Vous allez très bien comprendre toute la conversation. Sa voix est tellement haute qu'elle réussit à traverser ce matériel.

Sous cette recommandation, tous incluant Ramon et Flavie glissèrent ces boules de cire. Flavie sortit sa baguette et, après une courte incantation, elle dessina

LA BELLE AUX EAUX DORMANTES

une spirale dans les airs et toucha l'épaule de la dormeuse. Imarène ouvrit ses yeux d'un vert émeraude intense. Le jeune enchanteur en fut séduit. Entourée d'autant d'étrangers et sans la présence de ses sœurs, elle s'énerva. Elle tapa dans les eaux et lança des cris qui auraient percé les tympans, s'ils n'avaient pas suivi les conseils de la mère de la dragon-fée. Malgré les tentatives de sa parenté pour la calmer, elle s'apaisa plutôt d'elle-même lorsqu'elle fut à bout de souffle. Enfin, Flavie put faire les présentations :

— Chère Imarène, voici ma fille Inféra.

Inféra s'avança près d'elle sur le mince rivage du lac. Elle lui tendit la main et la jeune sirène fit de même. Elles se sourirent. Puis, Adora se présenta. Prenant confiance, Imarène nagea vers les autres inconnus. Elle nageait avec une telle fluidité qu'Andrick aurait voulu se baigner avec elle. Elle salua les autres invités. Sa tante l'invita à prendre un thé dans sa résidence. Elle accepta. Elle s'assit sur le bord de l'eau et, lorsque sa queue toucha le roc, deux jolies jambes apparurent, ce qui émerveilla Andrick. Arméranda n'en revenait pas comment ce jeune enchanteur se pâmait d'admiration à la vue d'une jolie dame. Bien que la jeune cavalière ait une

attirance pour ce jeune homme, elle n'était
pas une admiratrice aussi fervente
qu'Inféra. Cette dernière analysait ses réac-
tions devant cette dame à la chevelure ver-
dâtre. Des rougeurs de jalousie lui montaient
aux joues et une pulsation sanguine lui
martelait la tête. Picou, qui était près d'elle,
remarqua sa respiration haletante.

— Maîtrise-toi, chuchota Picou, tu ne
dois pas libérer ton dragon.

Les oreilles fines de la nymphette captè-
rent ce mot enivrant. Elle sentit un petit
tressaillement en elle. Une bouffée de chaleur la convainquit qu'il voulait s'ébattre
joyeusement dans cette eau.

— Oh, oh! s'exclama Imarène, impuis-
sante. Je crois que je n'ai pas le choix.
Aqualon s'en vient.

— Qui est ce Aqualon? demanda
Andrick.

— Non, dit Ramon, pas ici, ma belle
Imarène.

En deux temps, trois mouvements, un
dragon surgit, aux yeux d'acier et au torse
marbré aux couleurs turquoise et argentées.
Aussitôt Spino se sentit interpellé, suivi de
près par Draha. Pris en souricière, le reste
du groupe dut se jeter à l'eau et nager jusqu'à

l'entrée de la grotte. En apercevant le dragon de feu, Aqualon ne put résister à l'envie de lui lancer de l'eau.

— Va-t'en, cria-t-il, tu n'as pas d'affaire ici! Tu es sur mon territoire. Par contre, la jolie demoiselle à côté de toi, elle, peut rester.

Spino, qui détestait l'eau au point d'y être allergique, lança une puissante flamme.

— Oh! Tu veux te battre, lâcha Aqualon. Tu vas être servi.

À son tour, il lui projeta un jet brûlant. L'étroitesse de la bordure du lac fit en sorte que Spino dut se mouiller. Mal à l'aise, il barbotait et glissait, ce qui exigeait de lui beaucoup de souffle. Ses flammes n'étaient pas aussi éblouissantes que celles d'Aqualon. Draha, perplexe, ne savait pas comment réagir en présence de deux mâles si attrayants. Elle s'accroupit et se délecta à les voir se batailler. Les projections d'eau éclaboussaient les riverains interdits par cette lutte entre deux bêtes démesurées.

— Nous ne pouvons pas utiliser notre magie, cria Flavie. Nous sommes à notre limite.

Picou, qui n'était pas sûr de son rétablissement complet, s'égosilla de sa voix de baryton:

— Moi non plus. Andrick et Nina, vous devez faire quelque chose.

— Mais quoi? hurla le jeune enchanteur.

— Les réduire, annoncèrent-ils d'une voix fracassante.

— Les réduire, répétèrent-ils, comme des jouets?

— Oui! cria Ramon.

Ils fermèrent les yeux et se concentrèrent. Puis, ils dirigèrent leur baguette en direction des dragons en lançant :

— Réduction.

Le sortilège fit effet. Les trois dragons étaient maintenant aussi petits que des canetons. Flavie saisit Aqualon, Andrick, Spino et Waldo, Draha.

— Oh! Que tu es mignon, blagua Andrick.

— Venez, dit Ramon, montons chez nous.

— Pour une fois, je n'aurai pas besoin d'allumettes pour allumer mon feu, plaisanta Flavie. J'ai un beau briquet portatif. Venez, suivez-moi!

Ils montèrent à leur appartement. Une fois sur place, Flavie s'amusa à allumer les bougies et le feu à l'aide d'Aqualon. Puis, ce fut la transition et les trois porteuses de dragon reprirent leur forme originale. Imarène, au contact du plancher, apparut comme une jolie dame à l'habillement festif avec ses coquillages. Flavie s'activa à préparer un repas, tandis que Ramon servit une boisson pétillante.

— Ça fait une éternité que j'attends ce moment. Cette bouteille était réservée pour cette occasion.

Le bouchon de liège s'émietta. L'attente avait été tellement longue qu'il s'était durci. Après un nettoyage minutieux du goulot de la bouteille, il versa le joyeux liquide. Inféra fut la première à recevoir sa coupe.

— À ma chère fille !

Loin de la réjouir, celle-ci lançait des flammèches en direction d'Imarène, qui répondait par des yeux pleins de haine. Adora ne comprenait pas cette antipathie puisqu'elles ne se connaissaient pas. Elle demanda à sa copine :

— Mais qu'est-ce qui t'arrive, Inféra, pourquoi cette colère en toi ?

Elle se tourna vers la jeune Elfe et essaya de formuler une réponse :

— Je déteste cette fille parce que… elle est… elle…

— Moi, je connais la réponse, dit Flavie. Le dragon d'Inféra est incompatible avec celui d'Imarène. Je soupçonnais cette confrontation sans toutefois en être convaincue. Elles éprouvent des sentiments qui ne proviennent pas d'elles, mais des dragons qu'elles portent. Je crains qu'Imarène ne puisse vous suivre pour retrouver les deux autres dragons. Leurs sentiments, l'une envers l'autre, les porteront à se batailler continuellement.

— Que suggérez-vous ? demanda Picou.

La fée de la maison déposa un plateau de scones bien chauds sur la table basse et s'assit.

— Cher Philémon, je crois que ma protégée ne pourra vous suivre, elle devra rester ici !

À cette proposition, la sirène lança des éclairs à Inféra. Andrick fut déçu. Il la trouvait fort jolie, mais elle était incompatible avec Inféra et avec les humains.

— Mais j'y pense, dit Andrick. Les trois dragnardeaux sont maintenant assez forts pour voler et supporter le poids d'un adulte. En temps opportun, vous pourriez nous rejoindre lorsque les deux autres dragons seront retrouvés.

— Il y a un autre hic. À voir la réaction d'Inféra et Imarène, Adora ne sera pas compatible avec le dragon de l'air, annonça Ramon.

— Ce qui veut dire, déduisit Picou, qu'Adora devra rester ici, elle aussi ?

Les yeux d'Inféra s'enflammèrent de joie. Elle sera de nouveau seule avec Andrick. Il n'y aura plus de compétition.

— Oui, oui, oui, s'écria-t-elle.

— Qu'est-ce qui t'arrive ? demanda innocemment Nina qui appréhendait la réponse. Pourquoi cette excitation ? J'espère que ce n'est pas en raison de mon frère.

— Mais qu'est-ce que tu inventes là ? demanda la principale concernée. Toujours des suppositions maléfiques. J'espère que ce n'est pas Belzébuth qui t'a mis cela dans la tête.

— Belzébuth ! s'exclama Ramon.

— Oui, le vrai Belzébuth. Nous avons eu le bonheur de faire sa connaissance, ironisa Andrick.

— Mais… comment avez-vous pu le chasser ? interrogea Flavie.

— Vous avez raison, répondit Picou, chasser est le mot exact. Je ne suis pas sûr qu'il soit retourné là d'où il vient. Il se peut qu'il rôde encore dans les parages à la recherche d'une âme.

Picou poursuivit en montrant son collier :

— Nous ne prenons pas de chance, nous portons chacun une gousse d'ail.

— Qui est ce Belzé… but ? s'intéressa Imarène.

— Un personnage loin d'être intéressant à connaître, répondit Waldo. J'ai été possédé sans que je m'en rende compte. Sans l'aide de Picou, je ne serais pas ici près de ma douce et de vous tous. Allez, Picou, raconte !

Il s'exécuta. Il décrivit sa démarche, son apparence physique et sa voix terrifiante. Les hôtes frémirent lorsqu'ils entendirent l'étonnante histoire de la mort de Waldo et de sa résurrection.

— Wow ! dit Ramon en ouvrant une seconde bouteille de champagne, je n'aurais pas fait mieux. Tu es un grand magicien, Philémon. Je savais que tes ressources étaient colossales. Tu m'impressionnes !

— Je saisis à quel point nous avons fait un excellent choix, sanglota Flavie, en te choisissant toi comme le protecteur de notre fille chérie. Et je vois que tu as fait du bon travail. Elle est plus ravissante que dans mes rêves.

Tous les deux rougirent. Pendant ce court laps de temps où Inféra baissa les yeux de gêne, Andrick zieuta Imarène. Il contempla sa beauté. Il reçut un coup de coude de la part de sa jumelle, lui faisant savoir que c'était déplacé. De son côté, Arméranda s'amusa à le regarder s'émouvoir à la vue d'une jolie demoiselle. La première fois qu'il l'avait rencontrée, son regard rayonnait d'amour pour elle. Cependant, elle ne se sentait pas prête à se laisser envahir par ce noble sentiment, ou peut-être n'était-il pas celui qu'elle attendait. Souvent, elle avait ressenti une grande affection, mais pas de l'amour. Même les bulles qui lui montaient à la tête ne la firent pas changer d'idée. Elle pressentait qu'à un simple regard de l'homme de sa vie, elle le saurait et en tomberait éperdument amoureuse. Elle ne pouvait qu'éprouver de l'affection envers ce jeune homme aux yeux francs et clairs. Elle le surprit à perdre son admiration pour la belle sirène. En effet, Imarène commença à gigoter sur sa chaise et à se gratter les jambes.

— Oh là là ! Je crois qu'il faut que j'y aille.

Elle sortit. Ramon et Flavie l'accom-
pagnèrent. Du haut du promontoire, elle
sauta. Le jeune enchanteur la vit par la
fenêtre de l'habitacle et remarqua qu'au
contact de l'eau la jolie demoiselle se transforma en sirène. Lorsque les hôtes rentrèrent, Andrick demanda pourquoi elle ne
demeurait pas plus longtemps en leur compagnie. Il apprit qu'Imarène ne pouvait
conserver ses belles jambes que durant deux
à trois heures. Il s'attrista. Nina pouffa de
rire tandis qu'Inféra s'en réjouit.

CHAPITRE 23

LA DURE SÉPARATION

Bien assise en tailleur dans la pièce principale, Arméranda regarda sa boussole. Elle était rassurée. Depuis quelques jours, elle indiquait un nord solide, toujours dans la même direction. Pendant ce temps, Inféra se lamentait. Elle prenait conscience qu'elle devrait se séparer de sa nouvelle amie Adora et de ses parents à peine retrouvés. Elle s'apitoya sur son sort et demanda pourquoi c'était toujours elle qui devait se déplacer.

— Tes parents te l'ont expliqué, répondit Nina. Adora est probablement incompatible avec le dragon de l'air. Tout comme toi, tu es incompatible avec le dragon d'eau. Imarène est à nouveau plongée dans son sommeil jusqu'au moment où tu quitteras les lieux. Tu n'as pas le choix. Tu dois nous suivre!

— Qui sait, dans une contrée lointaine, tu rencontreras peut-être ton prince charmant? blagua Andrick.

— Oh toi, tu n'arrêtes pas de zieuter toutes les femelles en ta présence, se plaignit la dragon-fée.

— Quoi? Mais tu m'insultes! s'offusqua le jeune enchanteur.

Adora et Waldo sourirent. Il tenait sa douce par la taille et lui bécotait le cou. Ils étaient heureux que le voyage se termine ici. L'attente serait moins pénible en compagnie de Ramon et Flavie.

— C'est vrai! confirma Nina. Je te vois, c'est immanquable! Aussitôt qu'il y a une belle fille dans les parages, tu ne cesses de la regarder comme un nouveau jouet et ensuite, tu passes à autre chose. T'es déconcertant!

— Ah! vous autres, toujours le mot pour rabaisser son prochain. Il n'y a pas de mal à regarder de belles dames, surtout si elles sont vraiment jolies.

Flavie entra dans la pièce. Elle rit. Elle avait entendu la conversation et déduisit que sa fille était éprise du jeune Andrick.

— Tout à fait, quoi de plus normal pour de belles gens que de se regarder et… s'admirer, dit Flavie. Qui veut des crêpes ?

Ce ne fut pas long. Tout le monde leva le bras. Inféra mangea très peu. Son père remarqua son air triste et mit sa main sur la sienne.

— Ne sois pas désolée, lui dit-il. D'ici peu de temps, tout cela sera fini et nous retournerons chez nous, à Dorado.

Inféra pleura et son père l'étreignit. Elle savait que d'autres épreuves les attendaient et que son dragon se manifesterait, toujours un peu plus longtemps.

— Je ne veux pas partir, papa. J'aimerais rester. Je m'en fous des autres dragons. Je veux rester auprès de toi.

— Je comprends, mais pour le bien de Dorado, nous devons ramener avec nous les cinq derniers dragons. Puisque vous êtes ici, c'est qu'un malheur plane sur Dorado.

— Hélas, votre déduction est juste, affirma Picou.

Il raconta que les enchanteurs avaient noté la présence d'envahisseurs. Ils occupaient l'espace aérien depuis un certain temps. La première manifestation remarquée avait eu lieu lors de la compétition des dragnards du premier septembre. Ces vaisseaux spatiaux étaient difficiles à observer car leur camouflage efficace consistait en la représentation de nuages noirs. Puis, il poursuivit en racontant le drame qui s'était abattu sur le royaume de Mysriak, suite à l'enlèvement de la fille de Wilbras V et de son dragnard, Frenzo.

— Launa, la fille préférée de son père, dit-il. Imaginez la peine de ses parents et de la population !

Son récit s'arrêta là. Il n'avait plus rien à dire. Flavie resservit du thé et chacun imagina la suite des événements. Y avait-il eu d'autres enlèvements ? Dorado était-il à feu et à sang ? Personne ne pouvait y répondre.

— Demain, ce sera le départ, je suppose ? demanda Ramon.

— Je suppose que oui, répondit Andrick.

— Qu'avez-vous sur vous ? questionna Flavie.

— Ouf ! Plus grand-chose, aucune nourriture, pas d'eau guérisseuse, quelques herbes médicales et magiques comme la mandragore, l'angélique et le basilic, répondit Nina.

— Des épées, deux capes d'invisibilité, quelques pierres précieuses et des cartes, ajouta Arméranda. D'ailleurs, il faudrait que j'entreprenne le tracé de la Terre d'Achille avant de partir.

— Je me porte volontaire pour t'aider, dit Andrick.

— Allez-y maintenant, dit Flavie. Pendant ce temps, je vais préparer de la nourriture pour votre voyage. J'ai de la farine de millet et quelques fruits séchés qui pourront faire d'excellentes galettes. J'ai aussi du poisson séché, ce n'est pas terrible, mais ça remplace le fromage. Hum... du bon fromage doux et crémeux. J'ai hâte de m'en tartiner un gros morceau de pain.

— Bientôt, rassura Picou. Nous y sommes presque.

Après deux jours de chevauchée, la carte fut complétée. Andrick et Arméranda survolèrent la nouvelle ville, le volcan Magma et les ruines des trois temples. L'oasis si petite se

confondait maintenant avec l'environne-
ment. Ils furent fort heureux de découvrir
l'absence de traces de Belzébuth. Ils longè-
rent la section nord de la Terre d'Achille et
notèrent le climat glacial au-delà de la frontière limitée par un fleuve, un grand lac gelé
et une chaîne de montagnes.

En revenant chez leurs hôtes, ils s'aper-
çurent que Flavie n'avait pas chômé. Elle
avait préparé une quantité industrielle de
nourriture. Ramon faisait des empaquetages
avec des feuilles séchées. Nina et Inféra
s'étaient occupées des vêtements. Elles les
avaient lavés et réparés. Waldo et Adora
s'étaient concentrés à faire reluire tout ce qui
était métallique. Picou, lui, veillait à bien
nouer solidement les colis.

— Wow! s'écria Arméranda en voyant
les piles de linge et de nourriture bien
classées. Une vraie chaîne de montage.

— J'aurais espéré que vous soyez moins
efficace, se désola Andrick.

Le départ fut un des plus difficiles. Inféra ne
voulait pas quitter ses parents. Elle aimait

cette belle ambiance familiale, cuisiner et vaquer aux occupations ménagères avec eux.

— Allez! dit Flavie en la serrant très fort, il ne faut pas s'attarder, ma fille.

Comme à leur premier départ à Dorado, ils étaient à nouveau les chevaliers du Dragon rouge avec trois dragnardeaux supplémentaires transportant de l'eau et de la nourriture. Flavie et Ramon n'en voulurent pas. Les yokeurs de Waldo et d'Adora pourraient suffire à la tâche si nécessaire. De plus, les dragnardeaux n'étaient pas encore en âge d'être séparés de leurs parents.

— Reviens-nous vite, s'écria Ramon en se retenant pour ne pas pleurer. Je t'aime.

— Moi aussi, papa, dit Inféra en enfourchant sa monture et en sanglotant. Je vous aime tous les deux.

Puis, ce fut le départ. Longtemps, les yeux de Ramon et de Flavie s'attardèrent à scruter le ciel où le vol n'était plus maintenant qu'un minuscule point noir qui bientôt disparut. Ce fut Adora et Waldo qui les ramenèrent à la réalité.

— Ils sont partis, gémit Flavie. Ma belle Inféra, ma fille, si loin de mon cœur.

TOME 1   TOME 2   TOME 3

À VENIR

TOME 5

LES OUBLIÉS